funky minimal

Gerwald Rockenschaub

Kunstverein in Hamburg

Le Consortium, Dijon

1999

funky minimal

Inhalt (Contents)

1983, Öl/Leinwand, 30 x 60 cm
(oil/canvas, 30 x 60 cm)

Stephan Schmidt-Wulffen

Rockenschaub wird Rockenschaub

Ein Kapitel aus der pragmatischen Ästhetik

Seit den siebziger Jahren geht die Kunst mit ihren Werken immer pragmatischer um. Erschienen sie früher wie Sinncontainer isoliert in den Ausstellungsräumen, so werden sie mittlerweile immer häufiger in alltägliche Verhaltensabläufe eingefügt. Der Umgang mit den Arbeiten scheint deren Bedeutung auszumachen. 1989 zeigte Gerwald Rockenschaub in der Kölner Galerie Paul Maenz 36 transparente Plexiglasplatten, die er in drei Reihen, Stoß an Stoß, an der Wand verschraubte. Die einzelnen Platten mögen noch an das traditionelle Tafelbild erinnern, obwohl sie kein Abbild mehr zeigen. Der Sinn der Arbeit ergibt sich über das, was sie an Handlungsassoziationen nahelegen: Zur Jahrhundertwende wurden Metall- oder Keramikplatten an Wänden angebracht, um sie vor Beschädigung zu schützen. Otto Wagner hat so zum Beispiel die Wiener Postsparkassa ausgekleidet. Rockenschaubs Platten spielen auf diese alte Funktion des Wandschutzes an und sensibilisieren den Betrachter dafür, daß auch er ein ‚Benutzer' ist. Der fragt nicht nur nach der Bedeutung dieser Tafeln, sondern muß seine Erfahrung auch auf die eigenen Verhaltensweisen richten, um das Werk zu verstehen.

Pragmatik heißt die Theorie der Verwendung von Sprache, im Unterschied zur Bedeutungslehre, der Semantik, oder der Formenlehre, der Syntax. Der Philosoph Ludwig Wittgenstein hat der Pragmatik eine radikale Wendung gegeben, indem er sie die Semantik ersetzen ließ. „Die Bedeutung eines Wortes ist sein Gebrauch in einer Sprache", schrieb er in seinen *Philosophischen Untersuchungen*.[1] Was hier mit ‚Gebrauch' gemeint ist, läßt sich nicht zweifelsfrei klären: Betrifft er die Rolle eines Wortes, die es im System der Sprache erhält, so wie im Schachspiel der Bauer seine Bedeutung über die Gesamtheit aller Spielregeln bekommt? Oder meint Gebrauch das Sprechen der Sprache als Teil einer gemeinschaftlichen Tätigkeit, des Lebens in der Gesellschaft? Sind es die autonomen Regeln eines Sprachspiels, die den einzelnen Ausdrücken ihren Sinn verleihen? Oder müssen wir Bedeutung verstehen als eine Menge geordneter Verhaltensweisen von Personen, das, was Wittgenstein „Lebensform" nannte? In einer ästhetischen Pragmatik spielen beide Varianten der ‚meaning as use' eine Rolle.

Die wenigsten Künstler haben, wie Gerwald Rockenschaub während seines Philosophiestudiums, Wittgensteins Spätphilosophie gelesen. Es gibt für die Pragmatisierung der Kunstgeschehens prosaischere Gründe. In der Werkentwicklung von Gerwald Rockenschaub werden sie erkennbar.

Wien am Ende der siebziger Jahre

Gerwald Rockenschaub hat in Wien von 1975 bis 1981 Philosophie, Geschichte und Psychologie studiert. 1978 hat er sich im Fach Kunsterziehung an der Hochschule für angewandte Kunst eingeschrieben, wo er bald Freundschaft mit Gunter Damisch und Herbert Brandl schloß.

Die aktuelle Szene Wiens war damals geprägt vom experimentellen Film und der Installationskunst. Diskussionen um das Verhältnis von Kunst und Gesellschaft bestimmten die theoretischen Auseinandersetzungen.

Vom 21. bis 30. April 1978 fand in den Galerien Modern Art, Humanic und nächst St. Stephan das Internationale Performance Festival statt. Es markiert einen Umbruch, bei dem sich die Aktionsszene in ihre unterschiedlichen Aspekte aufspaltet, deren wichtigste, die Installation und die Musik, Rosemarie Schwarzwälder mit dem Programm der Galerie nächst St. Stephan verfolgte. Eine gutes Beispiel für diese Transformation der Perfomance lieferte Vito Acconci mit seiner Installation *Wenn der Walzer beginnt, können wir uns nicht hinsetzen*. Acconci tauchte selbst gar nicht mehr auf, sondern überließ die Szene den Ausstellungsbesuchern, deren Verhalten durch die Arbeit thematisiert wurde. Er übertrug die Szenerie des Heurigen in den Ausstellungsraum der Galerie und lieferte damit ein Modell für das Werk als Analyseinstrument alltäglicher Praxis. Im Zusammenhang mit dieser Installation formulierte Acconci sein Verständnis von Installation, das besonders auf die Interpretation der Gegebenheiten vor Ort zielt: „Meine Pläne sind: Installationen zu machen, die so entworfen sind, daß sie sich auf einen spezifischen Raum beziehen, der wiederum Teil eines geographischen, historischen, politischen Raumes ist und mir die Gelegenheit gibt, mich selbst und meine (kulturellen) Ursprünge als Künstler aufzuzeigen."[2]

Zu Beginn des Jahres 1979 erhielt Joseph Beuys eine Berufung an die Hochschule für angewandte Kunst, trat aber nach diversen Schwierigkeiten nur eine Gastprofessur an. Mit Beuys, der im April 1979 in der Galerie nächst St. Stephan auch seinen *Basisraum Nasse Wäsche* zeigte, ist ein Exponent einer konzeptuellen Sozialkunst in Wien, die die Institutionskritik auf den gesellschaftlichen Raum außerhalb der Galerien und Museen überträgt. Das gilt auch für die *Artist Placement Group*, die im Juni 1979 in Wien auftritt. Zur selben Zeit hält die Kunstvermittlerin Margarethe Jochimsen in der Wiener Secession einen Vortrag, in dem sie fordert, den Kunstbegriff so zu erweitern, daß die Avantgardekunst endlich als soziale Strategie im öffentlichen Raum zur Wirkung kommt.[3]

Gerwald Rockenschaub mag für eine politische Orientierung künstlerischer Praxis durchaus empfänglich gewesen sein, stand er doch während seines Studiums mit linken Gruppierungen, marxistischen, maoistischen, anarchistischen, im Austausch, ohne jedoch zum Aktivisten geworden zu sein.[4] Andererseits beginnt sich am Anfang der achtziger Jahre eine jüngere Künstlergeneration, zu der in Wien neben Rockenschaub auch Heimo Zobernig, Peter Kogler, Franz Graf oder Brigitte Kowanz gehörten, von politischen Positionen zu distanzieren, wie sie Joseph Beuys und die engagierte Szene der siebziger

Jahre vertraten. Der Begriff des Politischen wandelt sich am Ende der siebziger Jahre in ganz Europa. Der selbstgestellte Auftrag zur Befreiung der Unterdrückten geht auf in einer ‚lokalen' Politik, die dort interveniert, wo der einzelne, auch der einzelne Künstler, den Machtzwängen selbst ausgesetzt ist. Wo der sendungsbewußte Intellektuellen-Künstler eine abstrakte Theorie zum Ausgangspunkt seines Engagements machte, zählt jetzt die Erfahrung ‚am eigenen Körper'. Diese Beschränkung auf den eigenen Erfahrungshorizont hängt zusammen mit der erwachenden Skepsis gegenüber den ‚großen Erzählungen', den Universaltheorien der Meisterdenker, die jedoch an der Wirklichkeit vorbeigehen. Mit der Aufmerksamkeit auf die eigenen Konditionierungen im Gefüge gesellschaftlicher Macht wird die Abstraktion der Theorie umgangen zugunsten eines operativen Vorgehens, das Kräfte verschieben, Wirkungen umlenken kann, ohne sie in einer Begriffskonstruktion zu verfestigen. In dieser Dekonstruktion der Philosophie liegt ein weiterer Grund einer Pragmatisierung der Kunst. Statt des umfassenden Theorieanspruchs von Minimalismus und Konzeptualismus wird das Fragmentarische favorisiert. Es geht um ‚Deterritorialisierungen': der kunstgeschichtlichen Logik, der Linie und des Quadrats, es geht um die Betonung des Regionalen, Minoritären. Die Wünsche, über die z.B. Gilles Deleuze und Félix Guattari schrieben, sollten ungehemmt produzieren können.

Rockenschaub studierte an der Hochschule für angewandte Kunst in der Klasse von Herbert Tasquil, einem liberalen Lehrer, der seinen Studenten ein breites Spektrum von künstlerischen Möglichkeiten vor Augen führte. Einflußreiche Professoren der damaligen Zeit waren vor allem Peter Weibel und Bazon Brock. Weibels „Morphologievorlesung" gab einen unkonventionellen Einblick in kunsthistorische Zusammenhänge. Bazon Brock hatte schon mit seinen Besucherschulen zur documenta 1968 und 1977 eine Ästhetik entwickelt, die Bedeutung als im Prozeß der Rezeption Konstruiertes auffaßte und damit die Rolle des Betrachters betonte. Besonders sein Begriff des „Sozio-Design" mag die Studenten für das Wirkungsgefüge von Gegenständen, Situationen und dem Verhalten, das sie für den einzelnen programmieren, sensibilisiert haben. „Die produzierten Gegenstände sind immer auch Mittel zum Aufbau von sozialen Beziehungen", schreibt Brock.[5] „Die dringend zu beantwortende Frage ist, wie sich soziale Beziehungen verändern, bzw. wie soziale Beziehungen zugrunde gehen, wenn sich die Gegenstände verändern, über die solche Beziehungen aufgebaut werden." Dieser Zusammenhang zwischen „Gegenstand-Design" und „Lebens-Design", auf den Brock auch während seiner Vorlesungen in Wien einging, bleibt ein Thema für die Studenten der achtziger Jahre, für Gerwald Rockenschaub genauso wie für Heimo Zobernig.

Im Rückblick erscheint die geistige Situation am Ende der siebziger Jahre nicht nur in Österreich durch eine Skepsis gegenüber theoriegeleitetem Handeln geprägt. Philosophen, Basisdemokraten, Künstler suchen nach Möglichkeiten eines ‚lokalen', strategischen Operierens, das Theorie in die Form des Handelns selbst aufnimmt. Dieses lokale Handeln lenkt die Aufmerksamkeit auf die jeweiligen architektonischen, historischen, politischen Gegebenheiten an einem spezifischen Ort; es sensibilisiert für das

Hier und Jetzt und privilegiert ein präsentisches Agieren. Die bildende Kunst hatte bereits in einer politisierten Konzeptkunst, die die verborgenen Zwänge der Kunstinstitutionen offenlegte, das Bedingungsgefüge von Ort und Handeln thematisiert. Ende der siebziger Jahre begann jedoch die Verallgemeinerung dieses Themas über die Institutionen Museum und Galerie hinaus. Dabei wurde der Zusammenhang zwischen dem Artefakt und den Verhaltensformen, die seine Benutzung programmiert, wichtig. Hier gewinnt Wittgensteins These von ‚Bedeutung als Gebrauch' in den Arbeiten Acconcis und den Theorien Brocks an Konkretheit. Für die Künstlerinnen und Künstler der Generation Rockenschaubs wurde allmählich deutlich, daß ein ästhetisches Artefakt seine Bedeutung erst in einem (konventionalisierten) Umgang des Rezipienten mit ihm erhält. Die eigene Rolle als Autor wird dabei relativiert. Er antizipiert Gebrauchsformen, entwirft Verwendungsstrategien. Da es zur ‚Realisation' seines Werkes aber der Interaktion bedarf – der des Rezipienten mit dem Objekt –, werden gesellschaftliche Handlungsformen zu einem wichtigen künstlerischen ‚Material'. Da diese sozialen Verhaltensstrukturen nicht nur das Wissen des Künstler-Autors ausmachen, sondern ganz unmittelbar auch sein Verhalten betreffen, werden sie bald zum eigentlichen Ausgangspunkt jeder ästhetischen Praxis.

▲ **1983**, Galerie nächst St.Stephan, Wien, Öl/Leinwand, 30 x 30 cm *(oil/canvas, 30 x 30 cm)*
◀ **1983**, Galerie nächst St.Stephan, Wien, Öl/Leinwand/1982, 70 x 60 cm, Öl/Holz/1982, 25 x 5 x 5 cm, Tisch, 2 Sessel, Öl/Leinwand/1982, 30 x 30 cm *(oil/canvas/1982, 70 x 60 cm, oil/wood/1982, 25 x 5 x 5 cm, table, 2 chairs, oil/canvas/1982, 30 x 30 cm)*

Taktischer Block: Punk

Neben den kunsthistorischen Einsichten, die die Ausstellungsinstitutionen Wiens geben konnten, und den kunsttheoretischen Modellen, die die Hochschule anbot, erscheint Punk als der entscheidende Einfluß des kulturellen Umbruchs am Ende der siebziger Jahre. Rockenschaubs Freundeskreis entwickelte sich zunächst aus dem Interesse an der Musik. Künstler wie Gunter Damisch, Sepp Danner, Herbert Brandl begannen mit Rockenschaub in unterschiedlichen Formationen Musik zu machen. 1980 entstand *Molto Brutto*, eine Gruppe, mit der die Künstler zunächst mehr Geld verdienten als mit ihrer Malerei.[6] Um die Einflüsse auf die Kunst nachzuvollziehen, ist es notwendig, Punk nicht nur als einen musikalischen Stil zu verstehen, sondern als ‚taktischen Block'[7], in dem Identitäten reflektiert und neu ausgehandelt wurden. Neben der Musik spielen deshalb Tanz, Kleidung, Fanzines und Poster, schließlich auch die Treffs und Verkaufsorte der Punkmusik und -mode eine wichtige Rolle. Sie sind Medium einer Lebensart, Reflexions- und Gestaltungsinstrument.

1977 beginnt Punk in der deutschen und österreichischen Kunstszene eine nachhaltige Rolle zu spielen. In Clubs wie dem Düsseldorfer *Ratinger Hof*, dem Kölner *Roxy*, dem Berliner *SO 36* und dem Wiener *U4* treten amerikanische und englische Gruppen wie *Clash* oder die *Sex Pistols* auf. Viele Künstler spielen in Bands, die zum Teil – wie *Mittagspause* oder *Molto Brutto* – auch beachtlichen Erfolg haben. Vor allem aber ist es das Gemeinschaftserlebnis, die Enthierarchisierung zwischen Profi und Amateur, aber auch zwischen Akteur und Publikum, die die Künstler auf andere Formen ihrer Praxis zu übertragen versuchen. Nächtelang hängt man zusammen rum, dichtet Songs, kritzelt

Bildideen. Texte und Skizzen lassen sich in Heften veröffentlichen, die Vorbildern wie *Sniffin Glue*, dem ersten Zine der Punkszene, folgen. Sie hießen *Very good – sehr gut, Kirschblüte* oder schlicht *Dum Dum*. Das Gestalten von Plattencovers und Posters erweitert das Spektrum künstlerischer Aufgaben um einen ‚praktischen' Teil.

Aus ihren musikalischen Erfahrungen übertragen die Künstler die ‚Drei-Griffe-Ästhetik' auch auf das Wertesystem der bildenden Kunst:[8] Alles, was unprofessional wirkte, stand hoch im Kurs. Umgekehrt: All jene künstlerischen Ausdrucksformen, die Seriosität, Theoriehaltigkeit und Formrigorismus konnotierten, wurden angegriffen, persifliert. Für die Punkmusik war das Mixen unterschiedlichster Stile, vom Glitterrock David Bowies, von Reggae bis zum Protopunk der *Ramones*, wichtig. Dieses Sampling, das sich auch im Kleidungsstil wiederholte, war ein Relikt der surrealistischen Methode der ‚Entheimatung' und bürgerte sich auch für die Malerei ein, die sich auf Baselitz, Buffet und Barock in gleicher Weise bezog.[9] In seiner Widersprüchlichkeit dient der Mix dazu, tradierte Sinnschemata zu zerstören, Ordnungen aufzuheben. Das findet seinen Ausdruck nicht nur in einem paradoxen Humor, sondern schlägt sich auch in der Zerstörung jeglicher idealistischer Gedankenfiguren nieder. Punk ist eine Lebenshaltung, die ein präsentisches Agieren verlangt. Kennerschaft wird schon deshalb fragwürdig, weil sie die

Aktualität des Werkes mit einem langen, durch Aufschub gekennzeichneten Erfahrungsprozeß in Verbindung bringt. Viele Kunstrichtungen der sechziger Jahre postulierten hinter der Präsenz der Werke eine ideale Ideenwelt. Dies trifft für die Schemata der Konzeptkunst genauso zu wie für die Handlungspostulate minimalistischer Malerei und Skulptur. Für die ‚Punks der Palette', von denen bald in der Presse die Rede ist, gilt nur der Augenblick, gilt, was sich im unmittelbaren Aktionsradius des einzelnen oder der Gruppe realisieren läßt. Und das darf eben nicht als ein ästhetisches Problem mißverstanden werden: In dieser Unmittelbarkeit manifestiert sich ein neues Verständnis des Subjekts, das sich bestimmt fühlt nicht mehr durch Ideenkonstrukte, sondern durch gesellschaftliche Zwänge, wie sie in Lebensräumen kodiert sind. Punk unterminiert die Forderungen, die diese Räume stellen; zumindest macht er sie körperlich erfahrbar.

Der ‚taktische Block' Punk prägt den Beginn der künstlerischen Arbeit von Gerwald Rockenschaub entscheidend. Das schlägt sich nicht nur nieder in der spontanen Malerei der ersten Jahre, sondern auch in seinem damals bereits vorhandenen Interesse an Fragen der Mode oder der Gestaltung von Layouts, seien sie nun solche von Plattencovers oder eben Fanzine-Heften. In der Zusammenarbeit mit Herbert Brandl findet das Gemeinschaftserlebnis der Musik eine Resonanz. Die beiden Künstler leben in derselben Wohngemeinschaft eng zusammen. Sie benutzen dieselben drei Papierformate, auf denen sie dieselben Motive skizzieren, die

◀ **1984**, Galerie nächst St. Stephan, Wien, Öl/Holz, 15 x 14 cm, Kunstrasen, Öl/Leinwand, 35 x 35 cm *(oil/wood, 15 x 14 cm, artificial grass, oil/canvas, 35 x 35 cm)*
▼ **1983**, Öl/Leinwand, 35 x 45 cm, *(oil/canvas, 35 x 45 cm)*

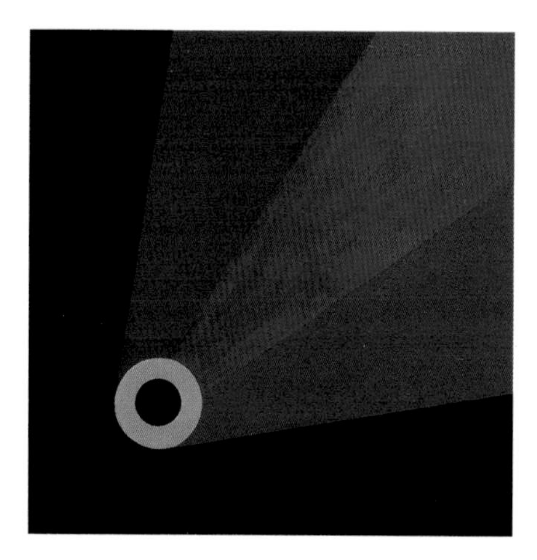

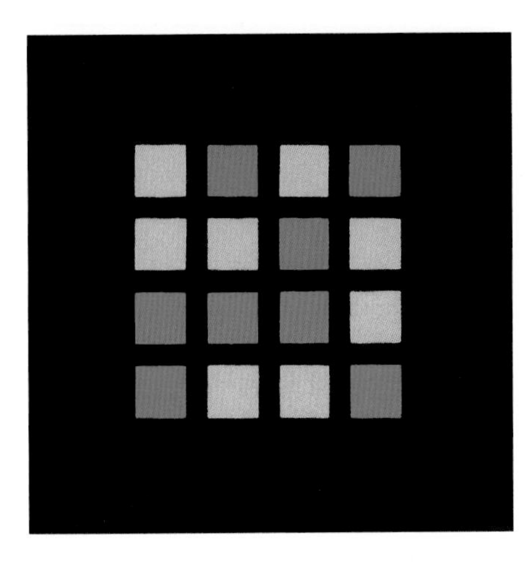

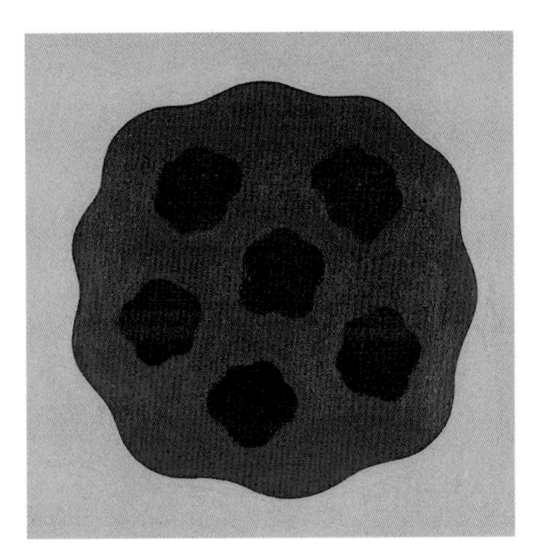

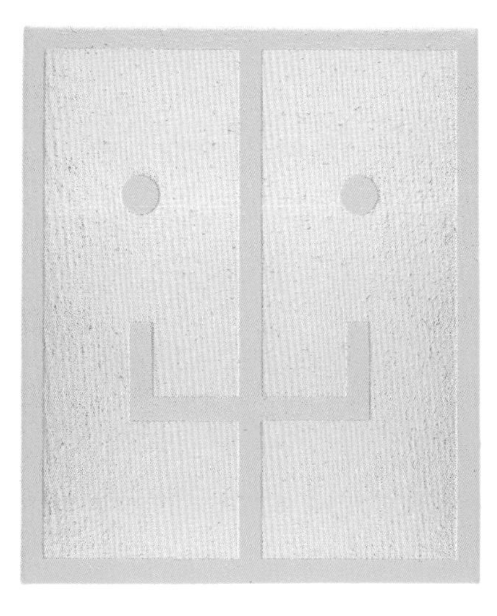

beeinflußt sind von Comics und Spielfilmen – signethafte, mit Farbe ausgefüllte Pinselzeichnungen. Für den Außenstehenden läßt sich kaum unterscheiden, wer welches Blatt gemalt hat. Aus den Blattstapeln, die bei solchen ‚Malsessions' entstehen, werden dann Motive gewählt, mit denen zunächst die eigenen vier Wände, dann aber auch Ausstellungen gestaltet werden. Es bleibt offen, wann man von ‚Werken' sprechen soll: Sind bereits die einzelnen Blätter als solche zu betrachten oder erst die Zusammenstellung, das Sampeln der Arbeiten an der Wand?[10]

Robert Fleck hat den Unterschied von Punk und New Wave betont, einen Umbruch, der sich unmittelbar in Rockenschaubs Gestaltungsrepertoire niederschlägt. „Während PUNK, die aufsehenerregende, proletarisch-rotzige Drei-Akkorde-Musik, nach kurzer Zeit und intensiven Verleumdungs- und Verhinderungsstrategien ihrer Gegner wieder aus dem öffentlichen Diskurs verschwand,

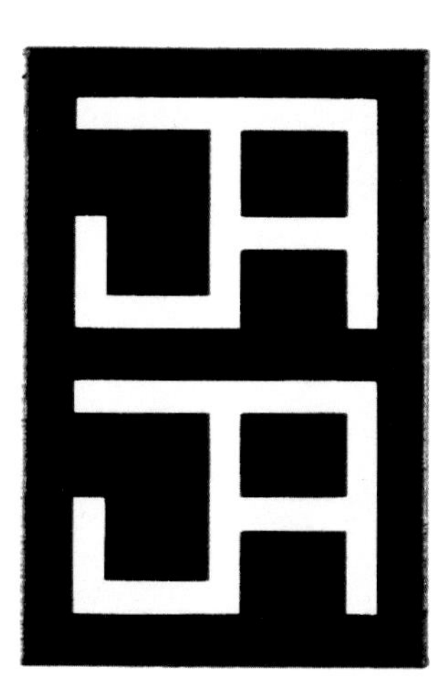

▲ **1985**,
Öl/Leinwand, je 35 x 30 cm
(oil/canvas, each 35 x 30 cm)
► **1985**,
Öl/Leinwand, 30 x 20 cm
(oil/canvas, 30 x 20 cm)
◄ **Seite 14/15 (page 14/15)**:
1983/84, Öl/Leinwand,
je 35 x 35 cm (oil/canvas,
each 35 x 35 cm)

► **1986**,
Öl/Leinwand,
50 x 50 cm
*(oil/canvas,
50 x 50 cm)*

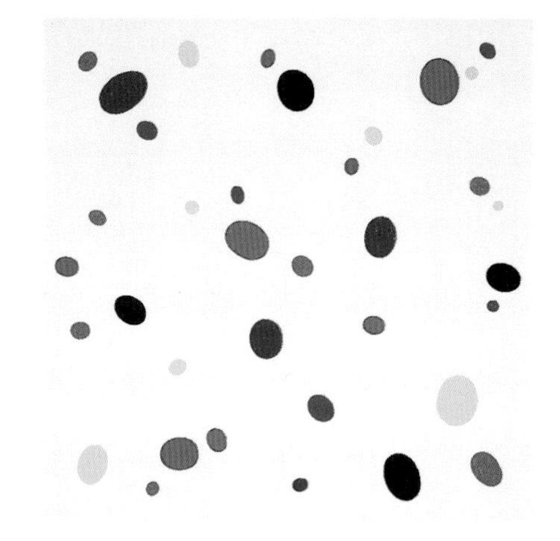

formierte sich die NEW WAVE als *die* progressive Allgemeinästhetik der beginnenden 80er Jahre. Sie erschien (...) als intellektualisierter bzw. von Intellektuellen assimilierter Punk wie auch als Produkt jener New Yorker Kunstszene, der die Performance der späten siebziger Jahre zu einem Gutteil entstammte. Von musikalischen Verfahren ausgehend wandelte sich in kürzester Zeit, parallel zum Einbruch der McDonalds-Kultur in Österreich, die Gesamtheit der ästhetischen Übereinkünfte im Bereich der Kleidung, des Design, der Zeitschriftenlayouts usw."[11] 1982 löst sich Rockenschaub vom expressiven Gestus und wechselt zu einem Formrigorismus, dessen Vorläufer er in der intellektuellen Wiener Tradition findet: „die Überlegungen Wittgensteins oder die Aktivitäten der Wiener Werkstätte, die Ideen von Adolf Loos".[12] Seine geometrischen Bilder knüpfen – ganz im Einklang mit der Idee der Appropriation von tradierten Kunststilen, die zu

◄ **1986**,
Öl/Leinwand,
50 x 50 cm
*(oil/canvas,
50 x 50 cm)*

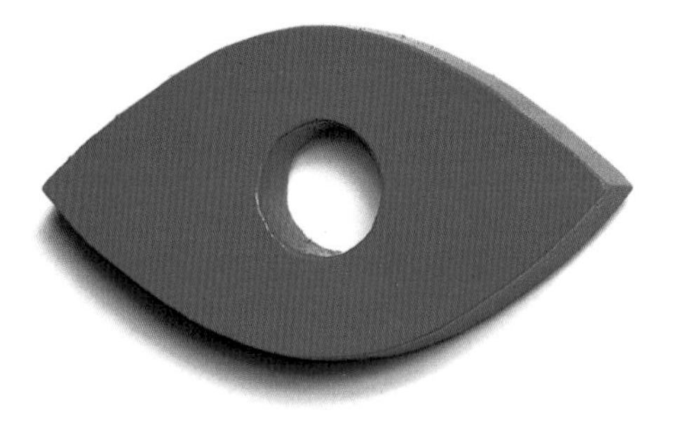

◀ **1984**, Öl/Holz, 7 x 13 cm *(oil/wood, 7 x 13 cm)*

Beginn der achtziger Jahre eine Rolle spielt – an die konstruktivistische Tradition an. „Aber ich habe meine Ideen ohnehin immer aus den verschiedensten Bereichen genommen. Dabei hat die Beschäftigung mit gewissen Traditionen schon eine Rolle gespielt." Rockenschaub erwähnt aber auch die Reduzierung des New Wave, die ihn zu einer knapperen Bildsprache angeregt hat. „Punk hatte endlich den überladenen Gitarren- und Bombastrock abgelöst und durch Straffung und Reduktion auf das Wesentliche eine Beschleunigung des Denkens eingeleitet. Für mich war diese Verknappung auf wesentliche Schemata interessant, die auch eine wahnsinnige Dynamik erzeugt hat."

Rockenschaub wählt Holz als Malgrund und zeichnet auf grauen oder schwarzen Grundton miteinander verwobene Bildgeschichten. Weil sich dieses Arrangement der Zeichen immer mehr entwirrt und in Bildfelder gliedert, die man von Comics kennt, kann er bald diese einzelnen Felder voneinander trennen. Wie vereinzelte Arbeiten von 1982 zeigen, tendiert er schon hier dazu, diese Isolation der Zeichen als einen praktischen, handwerklichen Prozeß zu inszenieren: Er sägt die Konturen einiger Zeichen aus der Holzplatte und gerät dabei in die Thematik von Figur und Grund. Die so isolierten und

◀ **1984**, Öl/Holz, 8 x 16 cm *(oil/wood, 8 x 16 cm)*

▲ **1986**, Öl/Leinwand, 14 x 14 cm
(oil/canvas, 14 x 14 cm)

▲ **1986**, Öl/Leinwand, 18 x 15 cm
(oil/canvas, 18 x 15 cm)

vor allem materialisierten Zeichen hängt Rockenschaub, seiner kurzen Punk-Phase folgend, zu losen Ensembles an die Wand, die nun ihrerseits die Funktion des traditionellen Malgrundes einnimmt. Diese Entwicklung ist deshalb interessant, weil sie verdeutlicht, daß die Entwicklung einer kontextuellen Malerei, später dann sogar die für Rockenschaub charakteristische Vermengung unterschiedlicher, institutioneller Aktionsräume an einem traditionellen Problem der Malerei, der von Figur und Grund, der der *shaped canvas*, ansetzt. Neben diesen materialisierten Formen existieren auch kleinformatige Gemälde, die die einfachen Bildsignets in einer zitatenreichen, starkfarbigen Malerei ausführen.

Die Praktiken, die Punk als ein taktischer Block etabliert, werden von vielen Künstlern nicht nur musikalisch umgesetzt, sondern auch auf ihre künstlerische Produktion übertragen. Das betrifft die Enthierarchisierung der Rolle von Autor und Rezipient genauso wie das Montieren eigentlich sich widersprechender Zeichensysteme, um dadurch ein Kollabieren der tradierten Bedeutungsordnungen zu erzeugen. Das untergräbt in einer praktisch effizienten Weise die Existenz idealistischer Sinnsysteme, die auch der Poststrukturalismus, dann aber in der paradoxen Strategie einer ‚Dekonstruktion' angreift. In gewissem Sinn erscheint Punk als das pragmatische Äquivalent der theoretischen Strömungen der Zeit. In diesem Sinn erweist sich auch Rockenschaubs Vorgehen, ohne daß es je von einer Theorie gesteuert wurde, in gewissem Sinn als theoriegeladen. In der Phase von Punk und New Wave entsteht eine für ihn charakteristische Praxis: Sie greift auf andere Bereiche ästhetischer Praxis über, nutzt zitathaft fremde Elemente, besteht aus einer Kombinatorik, in der Standardeinheiten auch wiederverwendet werden. Entscheidend ist aber ein spontaner Duktus, der auf unmittelbare Erfahrung, auf eine Beschleunigung des Denkens zielt.

1983 ist Gerwald Rockenschaub an der Ausstellung *Junge Künstler aus Österreich* der Galerie nächst St. Stephan beteiligt. Sein Beitrag zieht die Summe aus der Erfahrung von Punk und den theoretischen Eindrücken der Hochschule. Zum ersten Mal besetzt er mit seinen kombinatorischen Bildoperationen nicht nur eine Wand, sondern greift auf den ganzen Ausstellungsraum über. Damit gelingt es ihm, die Thematik des „Lebens-Design" zum ersten Mal systematisch umzusetzen. Rockenschaub kombiniert drei der geometrischen Gemälde mit einem Ensemble aus zwei Stühlen und einem kleinen Beistelltisch. Auf dem Tisch steht, wie eine materialisierte Linie, ein kleiner kahler Ast. Ein größerer Ast findet sich unter einem der anderen Gemälde. Mit dieser Inszenierung hat Rockenschaub der Figur-Grund-Thematik eine radikale Wendung gegeben, die auch in der Kombination von Einzelarbeiten zu Gruppen auf einer Wand bereits angelegt war. In beiden Fällen wird der Ausstellungsraum selbst zum ‚Grund' der Malerei. Mit den Möbeln spielt Rockenschaub auf Rezeptions- und Verhaltensformen an, die der Interpretation des Raumes bereits eine soziale Komponente geben. Schon hier wird das Werk, obwohl es noch eine traditionelle, autonome Form besitzt, zu einem Instrument, mit dem sich seine Beziehung zum Rezipienten modulieren läßt. Rockenschaub erkennt die Möglichkeiten dieses Themas unmittelbar. Für Zeitungsbeiträge inszeniert er Werke in einem

Kontext, der auf unterschiedliche Rezeptionshaltungen, wie die in einer Privatwohnung oder eines Büros, hinweisen. „Für mich hat es nie ein autonomes Kunstwerk gegeben", erläutert Rockenschaub seine Strategie. „Sobald das Kunstwerk verkauft ist und die Galerie, den scheinbar geschützten Bereich, verläßt, wird es eben in einen praktischen Lebenszusammenhang eingeführt und erfüllt dort eine mal dekorative, mal soziale oder repräsentative Funktion. Es hängt dann in einem Büro oder in einer Wohnung und muß in diesem Ambiente funktionieren. Mich hat immer mehr der Blick nach außen interessiert, die Darstellung des Blicks nach außen – Kontextkunst, wenn man so will. Schon damals hat mich der Zusammenhang, in dem man etwas darstellt, die architektonischen Voraussetzungen und die sozialen Bedingungen, interessiert." Es ist diese Kontextualität, die Rockenschaub und, bedingt auch John Armleder, von den anderen Künstlern der Galerie nächst St. Stephan absetzt, zu der beide ab 1984 gehören. Helmut Federle und Gerhard Merz sehen in jedem ihrer Werke eine ideale Ordnung repräsentiert.

Rockenschaubs Pragmatik verneint eine solche normative Ordnung; Sinnhaftigkeit ergibt sich aus dem Zusammenspiel der Bildzeichen untereinander, durch die Einbettung der Zeichen in Handlungszusammenhänge, die eben gerade nicht durch eine ästhetische Ordnung, sondern durch den Alltag geprägt sind. In diesem Sinn sind die Arbeiten Rockenschaubs eher denen amerikanischer Neo-Geo-Künstler verwandt wie Peter Halley oder Peter Nagy. Auch sie überschreiten die Grenzen, die eine autonome Kunstideologie dem Denk- und Handlungsraum der Künstler zieht. Doch während die amerikanischen Künstler, geleitet durch die Rezeption von Jean Baudrillards frühen

◀ ▲ **1985**, Atelier, Wien *(studio, Vienna)*

marxistischen Texten, sehr schnell die Ökonomie des (Kunst-)Marktes zum dominanten Maßstab ihrer interventionistischen Praxis machten, behält Rockenschaub einen offeneren Handlungsbegriff bei.

Techno-Connections

„Ich hatte im Frühjahr 1987 bei Barbara Gladstone in New York eine Ausstellung mit den letzten Bildern, die ich gemacht habe. Die Beschäftigung mit Malerei hatte sich für mich damals irgendwie erübrigt. Ich habe dann den ganzen Sommer über gearbeitet und im Herbst bei Paul Maenz in Köln eine Ausstellung mit neuen Arbeiten gemacht: Siebdrucke auf Plexiglas, in Metallboxen gerahmt. Sie zeigten amorphe Formen, sehr farbig, sehr bunt. Monatelang bin ich mit dem Fotoapparat vor dem Fernseher gelegen und habe aus Langeweile und Ratlosigkeit unendlich viele Bilder geschossen. Die habe ich dieser Arbeit zugrunde gelegt. Die Sujets für die Siebdrucke kommen daher – Ausschnitte und Verzerrungen, teilweise waren noch konkrete Bezüge möglich und zum Teil löste sich das Bild voll ins Undefinierbare auf."

Rockenschaubs Statement beschreibt einen radikalen Wechsel in seiner Arbeit: Zwar bleiben die Operationen, zu denen er seine Werke benutzt, davon zunächst unberührt; doch verändert sich die Form der Werke radikal. Das betrifft nicht nur die Erscheinungsweise seiner Bildobjekte, die jetzt auf maschinelle Produktionsverfahren zurückgeführt werden, sondern vor allem den Raumbezug. Spielte Rockenschaub früher auf alltägliche Situationen an durch die installationsartige Hängung der Gemälde und

▲ **1986**, Atelier, Wien, Öl/Leinwand, je 50 x 50 cm *(studio, Vienna, oil/canvas, each 50 x 50 cm)*

durch die Benutzung von Gebrauchsmöbeln, so beginnt jetzt eine Auseinandersetzung mit dem sozialen Verhalten, das der Raum programmiert. Bei der Thematisierung des Rezipientenverhaltens folgt Rockenschaub einer Doppelstrategie. Zunächst entwickelt er Installationen, mit denen die Bewegungen der Betrachter im Raum gelenkt werden. Dann bezieht er sich mehr auf die Wahrnehmungsformen, die den Rezipienten ausmachen. Beidesmal geht es um eine Analyse des Subjekts, das nun selbst als Resultat einer Produktion aufgefaßt wird. Für dieses fluide Subjekt sensibilisiert Rockenschaub seine Erfahrungen in der Technoszene.

Techno geht zurück auf House, ein Kürzel für *The Warehouse*, einen Dance Club in Chicago, wo dieser musikalische Stil Ende der siebziger Jahre von dem DJ Frankie Knuckles kreiert worden war.[13] Es brauchte mehrere Jahre, bis aus der Musik der Subkultur des Schwulen- und Lesben-Treffs in Chicago ein europäischer Musiktrend wurde. Rockenschaub, der sich 1983 von der Musikszene abgenabelt hatte, nahm diese neue Entwicklung 1986 wahr, als sich seine Malerei auf wenige elementare Gesten reduziert hatte: Leinwände im Format 14 auf 14 Zentimeter, auf denen Farbkreise reliefartig aufgebracht waren. Techno mechanisiert das Sampling des New Wave und perfektioniert es mit Hilfe der Computertechnologie. Stücke der unterschiedlichsten Stile können elektronisch gespeichert werden. Der Discjockey-Komponist verfremdet sie in seinem Computer und bereitet so seinen Auftritt während der langen Tanznächte vor, während denen er dieses Material zusammen mit anderen, auf Platten gespeicherten Phrasierungen in

▲ **1987**, Atelier, Wien, Öl/Leinwand, je 30 x 25 cm *(studio, Vienna, oil/canvas, each 30 x 25 cm)*

unwiederholbarer, spontaner Weise ‚live' mixt. Die Ähnlichkeit zu improvisierenden Formen des Jazz ist hier deutlich, „that plays with past and present forms of sounds in order to create a new form each time..."[14] Techno impliziert eine Technik der Vergegenwärtigung von kulturellen Strukturen. Die Musik zielt dabei in dieser ungewöhnlichen Verquickung aus kulturellen Mustern und Vergegenwärtigung eigentlich auf die Reaktion der Tanzenden, die sich im kontinuierlichen Beat der Musik vergessen können. Der wichtigste Effekt von Techno, schreibt Hillegonda Rietveld, ist die Emotionalisierung der Tanzenden. Dabei, dies läßt den subkulturellen Ursprung von Techno erkennen, verlieren die sozialen Zwänge an Kontur. Doch endet die Techno-Veranstaltung keineswegs in einem Eskapismus. Vielmehr macht die Aufhebung des gesellschaftlichen Zwanges die sozialen Ordnungen überhaupt erst erfahrbar: „The availability of these oppositional practices is mapped on to social time and space, organized into a system of domains", schreibt Rietveld.[15]

Im Zyklus der zwölf Stunden einer Techno-Nacht können neue Identitäten geschaffen werden, die sich deutlich von jenen abgrenzen, die die Protagonisten während des Rests der Woche einnehmen müssen. Damit werden auch neue Kriterien für ‚Normalität' geschaffen.

Rockenschaubs neuere Arbeiten greifen nicht nur die mechanisierten Produktionsformen auf, wenn er die Malerei zugunsten von Siebdruck aufgibt und später auch den Computer für die Erarbeitung von Bildern, Installationen und Ausstellungen

▲ **1986**, Knopf/Dekorfilz, je 12 x 12 cm
(button/decorative felt, each 12 x 12 cm)

benutzt. Er benutzt nicht nur Materialien wie Plexiglas und Plastikfolien, die dem technoiden Erscheinungsbild der Techno-Mode folgen. Er versucht auch in seinen künstlerischen Ausdrucksformen jene Einfachheit zu erreichen, die diesen Musikstil prägen: „Es gibt Techno-Tracks mit einer Drum Machine und vielleicht noch einem Effektgerät. Und der Track ist trotzdem oder gerade deshalb funky, sexy und funktioniert im Club. Du kannst dazu tanzen. So sehe ich auch meinen Ansatz: reduziert auf wenige Parameter, mit denen man eine Arbeit gestaltet." Vor allem hebt seine Arbeit seit den späten achtziger Jahren immer stärker auf die sozialen Muster ab, die auch Techno latent thematisiert. Dies wird noch durch seine Tätigkeit als DJ verstärkt, die 1988 beginnt. Der Künstler selbst erfährt die Doppelung sozialer Bereiche, die instrumentalisiert und für die Kunst aufeinander bezogen werden können.

Die Konstruktion von Situationen

Rockenschaubs Arbeit, 1989 entwickelt für die Ausstellung bei Paul Maenz, erscheint als Resumee der Zeit seit 1983, und sie eröffnet, weil sie in radikaler Weise entmaterialisiert ist, neue Arbeitsdimensionen. Die 36 Plexiglasplatten, die als Fläche vor die im Raum der Galerie ohnehin installationsartig montierte Hängewand geschraubt werden, sind die radikalste Form jenes Modulsystems, das Rockenschaub schon in der Zusammenarbeit mit Brandl benutzt hat. Das Bild jedoch ist durchsichtig geworden. Es zeigt jenes Dispositiv, das eigentlich als Mechanismus seiner Präsentation verborgen bleiben soll. Dieses Dispositiv besteht allerdings nicht nur aus der architektonischen Struktur des Ausstellungsraumes, es zielt auch auf die Kodierung des Verhaltens der Ausstellungsbesucher.

Der Rezipient, jener in der Galerie und jener außerhalb, ist wieder Thema der Installation, die Rockenschaub ein Jahr später in der Galerie Walcheturm entwirft. In ihrem zentralen Raum, einem früheren Kinosaal, verbindet er vier Säulen mit Holztafeln, sodaß ein ausgegliederter innerer Raum entstand. Was dem Passanten draußen vor dem Schaufenster aufgrund seiner zentralperspektivischen Positionierung und der roten Bemalung der nach außen sichtbaren Wand als ein Gemälde erscheinen konnte, hatte für den Besucher der Ausstellung eine vorwiegend installationshafte Erscheinung. Die Wände regulierten seine Bewegungen, wenn er noch einmal die farbige Wand ansehen wollte, die er umstandsloser von außen hatte wahrnehmen können.

In einem Beitrag, den Chantal Mouffe 1994 für eine Publikation aller Kritiken zu Rockenschaubs Werk verfaßt hat, weist sie auf die philosophische Bedeutung der Ausschließung hin. In ihrem einflußreichen Buch *Hegemony and Socialist Strategy*, das sie mit Ernesto Laclau verfaßte, ersetzen die Autoren die gängige Intuition von Gesellschaft durch die Vorstellung einer permanenten Auseinandersetzung, in der die sozialen Gegebenheiten permanent konstituiert werden. „Das bedeutet", schrieb Mouffe 1994, „daß jede soziale Objektivität letzten Endes politisch ist und die Spuren der Ausschließung, die ihre Entstehung bestimmt, zeigen muß (...). Gesteht man zu, daß einem Objekt in seinem innersten Sein etwas anderes als es selbst eingeschrieben ist und in Folge dessen alles als Differenz konstruiert ist, dann macht so ein Konzept klar, daß dessen Sein nicht als reine ‚Präsenz' oder ‚Objektivität' gefaßt werden kann."[16] Das Zitat sensibiliert dafür, daß die Aussperrungen Rockenschaubs nicht nur auf den Bewegungsraum potentieller Rezipienten zielen, sondern auf den Rezipienten als eine soziale Form, der in einer von Machtkonstellationen gekennzeichneten Auseinandersetzung artikuliert wird.

Mit einer politischen Theorie, wie sie Chantal Mouffe formuliert hat, eröffnet sich einer auf Handlungen bezogenen, pragmatischen Kunst ein vollkommen neues Feld politischer Intervention. Sie erschöpft sich nicht mehr in der Propaganda ‚korrekter' Ideologien, sondern kann sich strategisch an den hegemonialen Konflikten beteiligen, in denen sich gesellschaftliche Gegebenheiten formen. Hier wird die entscheidende Rolle erkennbar, die die Politisierung poststrukturalistischer Theorien Ende der achtziger Jahre für die Herausbildung eines völlig neuen Kunstparadigmas hatte.[17] Dabei haben sich nicht die künstlerischen Formen geändert. Philosophie und politische Theorie boten vielmehr ein Bild von Gesellschaft, das künstlerische Praxis mit ihren bewährten Instrumenten lediglich neu orientierte. Politische Praxis, so Mouffe, besteht deshalb „nicht in der Verteidigung der Rechte präkonstituierter Identitäten, sondern eher im Konstituieren dieser Identitäten selbst auf einem prekären und durchgehend angreifbaren Terrain".[18] Der ‚gesunde Menschenverstand' erscheint demnach nur als Resultat einer solchen Auseinandersetzung, als die Etablierung eines Knotenpunktes, mit dem der Fluß der

Signifikantenketten fixiert wird. Die Möglichkeiten einer ästhetischen Intervention deutet Chantal Mouffe in ihrem Beitrag selbst an: „Daher gibt es immer die Chance der Subversion einer von einem bestimmten Diskurs geschaffenen Ordnung durch Desartikulation seiner Elemente und durch Einrichtung einer anderen Artikulationsweise."[19] Wenn Gerwald Rockenschaub 1992 in Nizza und dann 1993 in Venedig die Besucher der Ausstellung über Gerüstkonstruktionen an Orte führt, die sie üblicherweise nie erreichen würden und ihnen so Perspektiven eröffnet, die sie nie wahrnehmen würden, so führt er sie nicht nur räumlich auf Abwege, sondern leistet eine Art der Desartikulation, wie sie Chantal Mouffe theoretisch formuliert.

Es ist interessant, Rockenschaubs Ausstellung in der Galerie Metropol von 1991 mit jener von 1993 zu vergleichen. Wieder bietet er dem Besucher drei Situationen, in die er sich begeben kann. Doch diesmal geht es nicht so sehr um seine Bewegungen, mehr um seine Wahrnehmungsformen. Wo die Plexiglasscheibe auf die Distanz des Betrachters zur Bürotür dahinter anspielte, wird jetzt in die Tür selbst ein Fenster geschnitten. Im zentralen Ausstellungsraum entsteht eine halbhohe Wand, vor der, mit Blick durch ein bodentiefes Fenster nach außen, der Passant Platz nehmen kann. Im Souterrain der Galerie gibt eine kurze Treppe dem Besucher die Möglichkeit, einen Blick über eine Wand zu werfen, die ansonsten zu hoch gewesen wäre. Während 1991 noch die Bewegungen des Betrachters und seine Positionierung im Raum betont wurden, sind es jetzt seine Wahrnehmungsmodi: sehen, was eigentlich uneinsichtig ist; beim Sehen gesehen werden; Sehende beim Sehen sehen.

Voraussetzung einer Gesellschaftstheorie, wie sie ab Mitte der achtziger Jahre entstanden und für die Chantal Mouffe nur ein – allerdings hervorragendes – Beispiel ist, war die Infragestellung des Subjekts, wie es die traditionelle Metaphysik postulierte. Während die alte Philosophie das Subjekt als eine Essenz begriff, führte es der Poststrukturalismus auch als ein Produkt ein, bei dem, wie der Psychoanalytiker Lacan herausarbeitete, der Blick eine konstitutive Rolle spielte. Rockenschaubs Bezugnahme auf die Wahrnehmung dürfte sich allerdings eher an der Tatsache orientieren, daß in der Mediengesellschaft der konkrete Raum der Bildpräsentation, der Ausstellungsraum, einen zu begrenzten Rahmen abgibt, um zu intervenieren. Symbolische Identifikationsformen werden heute nicht mehr in Museen und Romanen angeboten, sondern sind durch die Medien auf viel breiterer Basis verfügbar. Es liegt also nahe, solche symbolischen Muster aufzugreifen, wozu es im übrigen nicht des Fernsehens oder Spielfilms bedarf. Man kann diese Artikulationsprozesse durchaus in den exklusiven Räumen musealer Ausdrucksformen thematisieren, ohne daß dadurch ein bloß metaphorisches Verfahren wird.

In Rockenschaubs Arbeiten, die in den letzten Jahren entstanden, mischen sich die Prinzipien. In der Galerie Mehdi Chouakri lenkten zwei Plexiglaswände den Besucher aus der zentralen Eingangsachse heraus. Sie waren sowohl Bewegungstransformatoren als auch Wahrnehmungsinstrumente. Rockenschaub nutzt gezielt das eigene Repertoire, etwa wenn er im zweiten Raum der Berliner Galerie noch einmal die Kunststoffvorhänge

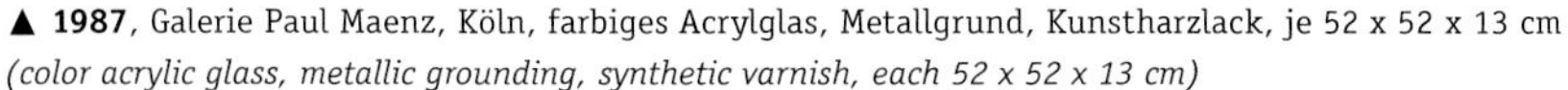

▲ **1987**, Galerie Paul Maenz, Köln, farbiges Acrylglas, Metallgrund, Kunstharzlack, je 52 x 52 x 13 cm
(color acrylic glass, metallic grounding, synthetic varnish, each 52 x 52 x 13 cm)

zeigt, die schon einmal eine andere Räumlichkeit in Luzern gegliedert hatten. Die Inszenierung dieser Ausstellung wirkte einfach, beinahe unterkühlt. Ihre äußere Erscheinung verbirgt scheinbar gezielt die Effektivität der Installation. Rockenschaub achtet, wenn er eine Installation entwirft genauso wie als DJ, auf die emotionale Wirkung. Das macht seinen Minimalismus funky.

Ästhetisches Handeln

Wer die Entwicklung des Werkes von Gerwald Rockenschaub über mehr als anderthalb Jahrzehnte verfolgt, für den gewinnt das Konzept einer ästhetischen Pragmatik an Anschaulichkeit. Seit den siebziger Jahren haben Künstlerinnen und Künstler Strategien entwickelt, die über Alltagshandlungen einen Zugang zu Kunstwerken schufen und dadurch eine kontemplative Rezeptionshaltung, wie sie Ausstellungsräume traditionellerweise ihren Besuchern abverlangen, umgingen. Dazu gehört die Institutionsanalyse, wie sie Michael Asher oder Daniel Buren leisteten genauso wie interventionistische Praktiken, die in den achtziger Jahren durch *Act Up* oder *Group Material* propagiert wurden.

▲ **1987**, Galerie Paul Maenz, Köln, Siebdruck auf Acrylglas, Metallgrund, Kunstharzlack, je 52 x 52 x 13 cm
(silk-screen print on acrylic glass, metallic grounding, synthetic varnish, each 52 x 52 x 13 cm)

Richtet sich die Aufmerksamkeit dieser und vieler anderer Künstler immer mehr auf den Gebrauch von Zeichen und weniger auf die Formulierung von Botschaften, so wird am Beispiel von Gerwald Rockenschaub klar, welche Konsequenzen diese andere Art künstlerischer Praxis hat. So bezieht sie die ästhetischen Produkte direkt auf eine spezifische Zeit und einen spezifischen Ort. Genauer muß man sagen: Werke werden nicht mehr in einem intimen Raum der biografischen Zeit und des biografischen Ortes geschaffen; sie entstehen dialogisch in bezug auf die Alltagswelt. Daraus folgt eine spezifische Zeitlichkeit dieser Pragmatik. Während die autonome Ästhetik stets eine Ideenstruktur voraussetzt und das Werk als deren in einem gewissen Sinn stets ‚verspätete' Realisierung betrachtet, handelt die pragmatische Ästhetik präsentisch.

Sie braucht deshalb auch nicht mehr nach Möglichkeiten der Verbindung von Kunst und Leben zu fragen, da sie aus dem sozialen Handlungsgefüge heraus entsteht. Jedes ästhetische ist zunächst soziales Handeln. Der Künstler-Autor ist erst einmal Mitglied einer Gesellschaft und muß sich, so es ihn danach verlangt, als deren ‚Außenseiter' konstruieren. Die immer wiederkehrende Frage, wie sich die Interventionen von

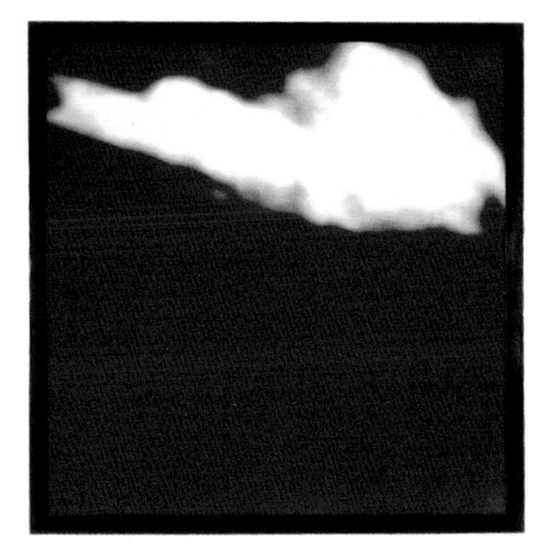

◄ ▲ **1987**, Siebdruck auf Acrylglas, Metallgrund, Kunstharzlack, je 52 x 52 x 13 cm *(silk-screen print on acrylic glass, metallic grounding, synthetic varnish, each 52 x 52 x 13 cm)*

Künstlern von der Tätigkeit der Dienstleister und Sozialarbeiter unterscheiden, ist deshalb falsch gestellt, denn sie geht von der Kunst als einem von der Gesellschaft getrennten Bereich aus. Tatsächlich muß der Künstler heute mit jeder seiner Handlungen deren ästhetische Qualitäten bestimmen. Diese Definition kann durch Merkmale der Werke selbst nicht mehr geleistet werden. Die ästhetische Dimension einer Handlung ergibt sich vielmehr durch die Doppelung einer Aktion, die durch eine gewisse Abweichung von der Norm bestimmt ist. Eine solche Abweichung kann schon dadurch hergestellt werden, daß die Alltagshandlung lediglich auf andere Handlungsmodelle in ungewöhnlicher Weise bezogen wird, sodaß sie wie ein Zitat wirkt. Es ist das ,sampling', das diese Devianz ermöglicht.

Offenbar genügt die ästhetische Handlung als solche noch nicht, um einen eigenständigen Bereich der Kunst zu markieren. Gerwald Rockenschaub hat durch das Crossover zwischen Techno- und Kunstszene deutlich gemacht, daß ästhetisches Operieren heute selbst Teil der Alltagskultur geworden ist. Wir beginnen zu verstehen, daß in vielen Gesellschaftsgruppen heute Identitäten in pragmatischer Weise konstruiert werden. Die Institution Kunst scheint lediglich als ein Bereich ästhetischer Praxis unter vielen zu sein; und vielleicht ist es gerade dieser Bereich, in dem die praktische Kompetenz (im Gegensatz zur theoretischen in der Philosophie und den cultural studies) dafür bewahrt wird.

1 Ludwig Witttgenstein, Philosophische Untersuchungen I,43
2 Zit. n. Robert Fleck, Avantgarde in Wien. Die Geschichte der Galerie nächst St. Stephan. Wien 1954–1982. Kunst und Kunstbetrieb in Österreich, Wien 1982, S. 491. Flecks Buch ist nicht nur von kunsthistorischem Interesse, weil es andeutet, mit welchem künstlerischen Angebot die Künstlergeneration von Rockenschaub, Brandl, Zitko, aber auch Zobernig oder Kogler zwischen 1978 und 1982 konfrontiert war; sein Buch erschien bereits 1982 und konnte nun seinerseits mit seinen Theorien noch innerhalb der Entwicklung dieser Künstler wirken.
3 Vgl. Fleck, a.a.O., S. 501
4 Gespräch des Autors mit dem Künstler im Januar 1999, der den Einfluß der Gruppen auch noch darin sieht, daß er sich zu Beginn seines Kunststudiums nicht so sehr als Künstler empfand, sondern sich bei den Kunstpädagogen einschrieb: „Einerseits hat mich die Kunst interessiert, andererseits schienen mir die Gruppen recht zu haben, wenn sie die Kunst als elitäre Veranstaltung des Bürgertums und die Künstler als dessen Lakaien betrachteten. Eine ziemlich zwiespältige Situation für mich."
5 Bazon Brock, Objektwelt und die Möglichkeit subjektiven Lebens. Begriff und Konzept des Sozio-Design, in: Ästhetik als Vermittlung. Köln 1977, S. 446. Das Buch war, wie Heimo Zobernig sagt, in Wien verfügbar und gehörte durchaus zur Lektüre der Studenten.
6 Molto Brutto wurde 1980 gegründet und löste sich drei Jahre später auf. In der Gruppe spielten außer Gerwald Rockenschaub Fritz Grohs, Gunter Damisch, Sepp Danner und Andreas Kunzmann.
7 Cressida Miles, A gendered Sense of Place, in: Steve Redhead, The Clubcultures Reader. Readings in Popular Cultural Studies, Oxford 1997, S. 74. In Sinne von Punk als eines „tactical block" ist Rockenschaub zu verstehen, wenn er den „kulturellen Kontext" hervorhebt, den Punk lieferte: „Wenn ich in einer Punk-Band spiele, dann habe ich einen kulturellen Horizont, der nicht nur meine künstlerischen Äußerungen, sondern das ganze Leben, auch die politische Einstellung, beeinflußt." (Gespräch mit dem Autor, Januar 1999)
8 Das Fanzine Sniffin Glue publizierte das wohl berühmteste Statement der Punkphilsosphie, ein Diagramm mit drei Gitarrengriffen und der Unterschrift: „Here's one chord, here's two more, now form your own band."
9 Punk besitzt einen verborgenen Bezug zur bildenden Kunst. Einer seiner wichtigsten Promoter, Malcolm McLaren ist Absolvent einer englischen Kunstschule und übte sich zunächst in einem minimalistischen Skulpturenstil. Er gehörte dann einer britischen Formation der Situationistischen Internationale an. Die Eröffnung des Geschäfts „Sex" zusammen mit Vivienne Westwood sowie die Gründung der Sex Pistols, einer der bekanntesten Punk-Bands,

▲ **1988**, „In Situ", Secession, Wien, Acrylglassockel, 90 x 40 x 40 cm, Satinkissen, 40 x 40 cm, Öl/Goldfarbe/Leinwand/1985, 12 x 12 cm *(acrylic glass base, 90 x 40 x 40 cm, satin cushion, 40 x 40 cm, oil/gold paint/canvas/1985, 12 x 12 cm)*

sollten vielleicht als eine Intervention im Sinne situationistischer Theorie verstanden und mit Warhols „Factory" verglichen werden.

10 Diese Methode erinnert an die Praxis der italienischen Künstler, die unter dem Label arte ciffra zusammengefaßt wurden und deren Ausstellung „Die enthauptete Hand" 1980 in Europa tourte. (Die Galerie nächst St. Stephan zeigte die Ausstellung im Frühjahr 1980.) Die Künstler pflegten auch die Räume der Museen farbig auszumalen und ihre Bilder in diese Installationen einzufügen.

11 Fleck, a.a.O., S. 516

12 Rockenschaub im Gespräch mit dem Autor, Januar 1999. Alle weiteren Zitate stammen, wenn nicht anders angegeben, aus diesem Gespräch.

13 Vgl. Hillegonda Rietveld, The House Sound of Chicago, in: Steve Redhead (ed.) The Clubcultures Reader, Oxford 1997, S. 124ff

14 Ebd., S. 126

15 Ebd., S. 127. Die Autorin bezieht sich hier auf: Robert Hodge und Gunter Kress, Social Semiotics, Oxford 1988

16 Chantal Mouffe, Politik, Gefühle und die Medien, in: Wiener Secession (Hrsg.), Gerwald Rockenschaub. Kunst/Kontext/Kritik, zusammengestellt von Ulli Moser, Wien 1994, S. 177

17 Vgl. dazu auch: S. Schmidt-Wulffen, Von der Kritik zur Komplizenschaft (und zurück). Notizen zur Rezeption der cultural studies in der amerikanischen Gegenwartskunst, in: Im Blickfeld, Jahrbuch der Hamburger Kunsthalle, 3/1998, S. 137 ff

18 Mouffe, a.a.O., S. 178

19 Ebd.

Stephan Schmidt-Wulffen

Rockenschaub becomes Rockenschaub

A Chapter in Pragmatic Aesthetics

Art has been treating its works more and more pragmatically since the seventies. While they used to seem like sense containers, isolated in their exhibition rooms, they are today increasingly inserted into everyday behavioral patterns. The way works are treated seems to determine their significance. At the Galerie Paul Maenz, Cologne, in 1989 Gerwald Rockenschaub exhibited 36 transparent plexiglas plates, which he screwed together in three rows and fixed to the wall at the joints. The individual plates could still remind one of the traditional panel, although they did not feature an image. The meaning to be gained from the work results from the active associations they suggest: at the turn of the century metal or ceramic plates were attached to walls to protect them from damage. Otto Wagner, for example, used such layers for the walls of the Viennese Postsparkassa. Rockenschaub's plates make reference to this old function of wall protection and sensitize the viewers to their being 'users' as well. Not only do they ask for the meaning of these panels, but they are also required to direct the experience towards their own behavior patterns in order to understand the work.

Pragmatism, in contrast to semantics, the study of meaning, or syntax, the study of language formation, is the name of the theory of the use of language. The philosopher Ludwig Wittgenstein gave Pragmatism a radical transformation by having it replace semantics. "The meaning of a word is its use in a language," he wrote in his Philosophical Investigations.[1] *What is meant here by "use" cannot be explained absolutely: does it refer to the role given to a word in the language system, the way a pawn in the game of chess receives its significance through the totality of the game rules? Or does use mean the utterance of language as part of a communal activity, of life in society? Do the autonomous rules of a game of language lend meaning to individual expressions? Or must we understand meaning as a sum of ordered behavioral patterns of persons, that which Wittgenstein called "form of life?" In an aesthetic Pragmatism, both variants of 'meaning as use' play a part.*

Only very few artists have read Wittgenstein's later philosophy, as Gerwald Rockenschaub did during his study of philosophy, yet there are more prosaic reasons for the pragmatization of art activities. These become recognizable in Gerwald Rockenschaub's work developments.

Vienna at the End of the Seventies

From 1975 to 1981, Gerwald Rockenschaub studied philosophy, history and psychology in Vienna. In 1978 he enrolled in art education at the Hochschule für ange-

▲ **1988**, Galerie Susanna Kulli, St.Gallen, farbiges Acrylglas, Metallrahmen, je 25,5 x 25,5 cm
(color acrylic glass, metall frame, each 25.5 x 25.5 cm)

wandte Kunst (School for Applied Arts) where he soon became friends with Gunter Damisch and Herbert Brandl.

Then, the contemporary scene in Vienna was characterized by experimental films and art installations. Discussions about the relationship of art in society determined the theoretical debates.

From April 21–30, 1978, the International Performance Festival took place at the galleries Modern Art, Humanic and nächst St. Stephan. This marked an upheaval in which the actionist scene split into its different aspects, the most significant being installation and music, were featured by Rosemarie Schwarzwälder, in the program of the Galerie nächst St. Stephan. A good example for this transformation of performance was delivered by Vito Acconci with his installation, Wenn der Walzer beginnt, können wir uns nicht hinsetzen *(When the waltz begins, we can't sit down). Acconci did not even make an appearance, but left the scene to the spectators whose behavior was thematicized through the work. He transferred the scenery of the wine tavern to the exhibit room of the gallery and thus delivered a model for the work as an instrument for analysing everyday practice. In this context, Acconci formulated his understanding of an installation, which aims especially at the interpretation of the circumstances at the site. "My plans are: to make installations which are designed in a way that they refer to a specific room which in turn is part of a geographic, historical and political realm and provides me with an opportunity to disclose myself and my (cultural) origins as artist."*[2]

At the beginning of 1979 Joseph Beuys received a nomination at the Hochschule für angewandte Kunst, yet after having various difficulties, accepted only a guest professorship. Beuys, who also showed his Basisraum Nasse Wäsche *("Base room wet laundry") at the Galerie nächst St. Stephan in April 1979, was a representative of conceptual social art in Vienna, which transferred the institutional critique beyond the gallery and museum to the social realm. This was also true of the* Artist Placement Group, *which performed in Vienna in June, 1979. At the same time, the art agent Margarethe Jochimsen held a lecture at the Viennese Secession in which she called for the expansion of the concept of art, so that avant-garde art could finally take effect as a social strategy in the public realm.*[3]

Gerwald Rockenschaub may indeed have been receptive to a political orientation of artistic practices, as he had contact during his studies to leftist groups, Marxist, Maoist, and anarchist, although without himself becoming an activist.[4] *On the other hand, in Vienna a younger generation of artists, who along with Rockenschaub also included Heimo Zobernig, Peter Kogler, Franz Graf and Brigitte Kowanz, began at the beginning of the eighties to distance themselves from political positions such as those to which Joseph Beuys and the surrounding scene were dedicated. The idea of the political changed at the end of the seventies throughout Europe. The self-given task of liberating the suppressed was absorbed by 'local' politics, which intervened wherever the individual, including the individual artist, was subjected to the dictates of power. Where intellectual artists, aware of their missions, had founded their commitment on an abstract theory, what now counted was the experience 'on their own bodies.' This restriction to the individual horizon of experience is tied to the waking scepticism of the 'great stories,' universal theories of master thinkers which nevertheless pass by reality. With attention to individual conditioning in the framework of societal might, the abstraction of theory is evaded in favor of an operative procedure which can shift powers, redirect effects, without fastening them to a conceptual construction. This deconstruction of philosophy is a further argument for a pragmatization of art. Instead of the complete theoretical claim of Minimalism and Conceptualism, the fragmentary is favored. The concern is one of 'deterritorialization': of art historical logic, of the line and the square, the accentuation of the regional, the minoritarial. The desires written about for example by Gilles Deleuze and Félix Guattari should be able to produce without inhibition.*

At the Hochschule für angewandte Kunst, Rockenschaub studied in the class of Herbert Tasquiel, a liberal teacher who introduced his students to a broad spectrum of more artistic possibilities. Influential professors at the time included primarily Peter Weibel and Bazon Brock. Weibel's lecture on morphology gave unconventional insight into art historical associations. With his Besucherschulen *(schools for attendees) at the documenta 1968 and 1977, Bazon Brock had already developed an aesthetic which interpreted meaning as something constructed in the process of reception and thus emphasized the role of the viewer. Especially his concept of the 'Sozio-Design' could have sensitized the students to the structural effects of objects, situations and that behavior which these effects program for the individual. "The objects produced always constitute a means for constructing social relationships as well," writes Brock.[5] "The urgent question is how social relations change and/or perish when the objects through which such relationships are constructed change." This correlation between "object design" and "life design," on which Brock also elaborated during his lectures in Vienna, remained a topic for students of the eighties, as well as for Gerwald Rockenschaub and Heimo Zobernig.*

In retrospect, the intellectual situation at the end of the seventies appeared (not only in Austria) to be characterized by a scepticism of theory-led activity. Philosophers, fundamental democrats and artists looked for the possibilities of 'local,' strategic operation, which incorporates theory into the form of the action itself. This local action directs attention to the respective architectural, historical and political conditions at a specific site; it sensitizes for the here and now and favors acting in the present. Already with politicized conceptual art which revealed the hidden restrictions of art institutions, the fine arts had thematicized the conditional structure of site and action. The extension of this topic beyond the institutions of the museum and the gallery began however at the end of the seventies. What becomes important here is the relationship between the artefact and behavioral form which programs for its use. Wittgenstein's thesis of the 'meaning as use' gains tangibility in the works of Acconci and the theories of Brock. It became increasingly clear to the artists of Rockenschaub's generation that an aesthetic artefact receives its meaning first through a (conventionalized) treatment by the recipient. The author's own role is thus relativized, forms of use are anticipated, use strategies are developed. Because, however, interaction is required for the 'realization' of a work, the interaction of recipient and object, societal forms of action become important artistic 'material.' And since these social behavioral structures not only constitute the knowledge of artist/authors but also directly affect them in their behavior, they also soon become the actual starting point of every aesthetic practice.

Tactical Block: Punk

Along with the art historical insights which could be offered by Vienna's exhibition institutions and the art theoretical models offered by the Hochschule, punk appeared to be the crucial influence behind the cultural upheaval of the late seventies. Rockenschaub's circle of friends developed first from their interest in music. Artists such as Gunter Damisch, Sepp Danner and Herbert Brandl started making music in different outfits with Rockenschaub. In 1980 they founded the group Molto Brutto *which enabled the artists at first to earn more money than with painting.[6] In order to understand its influence on art, punk should be seen not only as a musical style, but as a 'tactical block,'[7] in which identities were reflected and newly negotiated. Therefore, in addition to the music, also dance, dress,* fanzines, posters, hangouts and places where punk music and fashion were sold all played an important role. They comprise the mediums of a lifestyle, the instruments of reflection as well as formation.

In 1977 punk began to play a lasting role in the German and Austrian art scenes. In clubs such as the Ratinger Hof (Düsseldorf), the Roxy (Cologne), SO 36 (Berlin) and U4 (Vienna), American and English groups such as the Clash or Sex Pistols performed. Many artists also played in bands, some of which, like Mittagspause or Molto Brutto also achieved considerable success. But it is especially the communal experience, the dismantling of the hierarchy of amateur and professional, but also audience and performer, which the artists tried to transfer onto other forms of their practices. They hung out together for days, wrote songs, scribbled down images. Texts and sketches could be published in booklets modelled after Sniffin Glue, the punk scene's first fanzine. They were called Very good—sehr gut, Kirschblüte or simply Dum Dum. The design of record covers and posters extended the spectrum of artistic tasks by one 'practical' part.

From their musical experiences, the artists also transferred the 'three chord aesthetic' onto the fine art's system of values.[8] All that seemed unprofessional was in high demand. Conversely: all those artistic forms of expression which connotated seriousness, theoreticality and rigorism of form were attacked and ridiculed. Important for punk was the mixing of very different styles, from David Bowie's glitter rock, from Reggae up to the proto-punk of the Ramones. This sampling, repeated also in styles of dress, was a relick of the surrealistic method of 'denaturalization' and also became common in painting which in the same way referred to Baselitz, Buffet and Barock.[9] In its contradiction, the mix serves to destroy traditional schemes of sense, to suspend orders. This not only finds expression in paradoxical humor but is also seen in the destruction of all idealistic configurations of the mind. Punk is an attitude that requires acting in the present. Connoisseurship becomes dubious just because it connects the actuality of the work to a long process of experience which is characterized by deferment. Many sixties art movements postulated an ideal world of ideas behind the presence of the works. This applies to the conceptual art schemata as well as to postulates of action in minimalistic painting and sculpture. For the 'palette punks' who soon appeared in the press, only the moment, only that which could be realized in the immediate individual or group radius of action, counted. And precisely that should not be misunderstood as an aesthetic problem. With this immediacy, a new understanding of the subject becomes manifest which feels itself to be determined no longer by concept constructs, but by societal restrictions as they are coded in life's realms. Punk undermines the demands of these realms; or at least it makes them physically perceptible.

Gerwald Rockenschaub's initial artistic work was distinctly influenced by the 'tactical block' Punk. This not only finds expression in the spontaneous painting of the first years, but also in his then already present interest in questions of fashion and the design of layouts, be they those of album covers or even Fanzine magazines. Music's communal experience resonates in the collaboration with Herbert Brandl. The two artists live together *closely in the same housing co-op. They use the same three paper formats on which they sketch the same three motifs which are influenced by comics and feature films—trademark-like, pencil drawings filled in with paints. For outsiders, it is hardly possible to differentiate who painted which sheet. Motifs are then chosen from the pile of sheets arising from such 'painting sessions' which first decorate their own four walls, and then also exhibitions. When it is possible to speak of 'works' remains open: are the individual sheets to be considered as such, or first the compilation, the sampling of the works on the wall?*[10]

Robert Fleck emphasized the difference between Punk and New Wave, a departure which finds direct expression in Rockenschaub's repertoire of arrangements. "While PUNK, the sensational, proletarian-cocky three chord music, disappeared after a short time from public discourse after the intensive slander and aversion strategies of its opponents, NEW WAVE formed as the *progressive general aesthetic at the beginning of the eighties. It appeared ... as a Punk which was intellectualized, or from intellectuals assimilated as well as a product of that New York art scene from which a great deal of the performance of the late seventies originated. Beginning with musical methods, in a very short time, parallel to the invasion of McDonald's culture in Austria, the totality of aesthetic agreement arrived in clothing, design, magazine layout, etc."*[11] *In 1982 Rockenschaub cast off the expressive gesture and switched to a form rigor, whose precursors he found in Vienna's intellectual tradition; "the considerations of Wittgenstein or the activities of the Wiener Werkstätte, the ideas of Adolf Loos."*[12] *His geometric pictures tie in with the constructivist tradition—entirely in unison with the idea of the appropriation of handed down artistic styles which played a role at the beginning of the eighties. "But I still always took my ideas from the most diverse areas. In that, the work with certain traditions certainly played a role."*

Rockenschaub also mentions the reduction of New Wave which prompted him to a more concise pictorial language. "Punk finally replaced the overburdened guitar and bombast rock and introduced a quickening of thought through tautness and reduction to what is essential. For me this cut back to essential schemes which also bred a wild dynamic was interesting."

Rockenschaub chose wood as a base for painting, in gray and black primary colors he drew picture stories woven into each other. Because this arrangement of the drawing increasingly unraveled and subdivided into image fields which are known from comics, he could soon separate these individual fields from each other. As individual works from 1982 show, here he already tended towards staging the isolation of the drawing as a practical, crafts-based process: He sawed the contours of a drawing from the wood plank and thereby entered the theme of figure and base. Rockenschaub, as a result of his short Punk phase, hung the drawing—isolated, and first and foremost materialized, in this way—in loose ensembles on the wall, which now took up the function of the traditional painting base. This development is interesting because it made clear that the development of a contextual painting, the characteristic (later then even for Rockenschaub) mixing of various, institutional spaces of action in a traditional problem of painting starts with the figure and base of the shaped canvas. In addition to these materialized forms, also small format paintings exist which implement the simple picture publisher's mark in a quotation-rich, bold color kind of painting.

The practices which established Punk as a tactical block were not only translated by a number of artists musically but were also carried over into their artistic production. That applies to the de-authorization of the role of author and recipient just as much as the mounting of drawing systems which are actually contradictory in order to breed a collaboration of the handed down organization of meaning. In a practical, efficient manner this digs into the sense system which idealizes existence which post-structuralism also then attacked in the paradoxical strategy of deconstruction. In a certain sense, Punk appeared as the pragmatic equivalent to the theoretical currents of the time. In this sense, Rockenschaub's method also proves to be theory laden without ever being driven by a theory. In the phase of Punk and New Wave, a practice characteristic for him arose: it spreads into other areas of aesthetic practice, uses quotation-like foreign elements, and is comprised of a combination theory in which standard units are also re-used. What is decisive, however, is a spontaneous flow which aims at a quickening of thought by direct experience.

In 1983 Gerwald Rockenschaub participates in the exhibition Junge Künstler aus Österreich *at the Galerie nächst St. Stephan. His contribution draws a summation from the experience with Punk and the theoretical impressions from the University. For the first time he not only occupies a wall with his combination picture operations but also spreads out over the entire space of the exhibition. With that he is able to systematically carry over the theme of the 'Life Design' for the first time. Rockenschaub combines three of the geometric paintings with an ensemble of two chairs and a small side table. A leafless branch lies like a materialized line on the table. A larger branch is found under one of the other paintings. With this staging, Rockenschaub gave the figure-based thematic a radical twist which was also already laid out in the combination of individual works as a group on one wall. In both cases the exhibition space itself becomes a 'base' of painting. With the furniture, Rockenschaub played with forms of reception and behavior which already give the interpretation of the room a social component. Although the work still possessed a traditional autonomous form, here it also becomes an instrument which allows it to modulate its relationship to the recipient. Rockenschaub directly recognizes the possibilities of this theme. He staged works in a context which refers to various reception situations such as those in a private apartment or in an office for newspaper contributions. Rockenschaub elucidated his strategy: "For me, there has never been an autonomous work of art ... As soon as the work of art is sold and leaves the gallery, the apparently protected realm, it is led into a practical real-life context and there it fulfills at times a decorative, at times social or representative function. It then lands in an office or in an apartment and must function in these surroundings. The gaze outwards has always interested me more, the presentation of the outward gaze—context art, so to say. Already back then, the context in which one presents something, the architectural premises and the social conditions interested me." It is this contextuality, which sets off Rockenschaub and conditionally also John Armleder, from the other artists at the Galerie nächst St. Stephan to which both belonged as of 1984. Helmut Federle and Gerhard Merz see an ideal order represented in each of their works.*

Rockenschaub's pragmatism unites such a normative ordering; meaningfulness arises from the interaction of the pictorial symbols with each other, through the embedment of the symbol in a behavioral context which is embossed not with an aesthetic order, but rather by daily life. In this sense, Rockenschaub's works are more related to those of the American Neo-Geo artists such as Peter Halley or Peter Nagy. They also cross the border which an autonomous art ideology draws around the thought and behavioral realm of the artist. Still, while the American artist, led by the reading of Jean Baudrillard's early Marxist texts, very quickly made the economy of the (art-)market the dominant measure for their interventionist practice, Rockenschaub maintained a more open concept of action.

Techno-Connections

"I had an exhibition in spring 1987, with Barbara Gladstone in New York, with the latest pictures I had made. The occupation with painting somehow became superfluous for me back then. I then worked over things the whole summer and made an exhibition of new pictures in autumn with Paul Maenz in Cologne: silk screens on plexiglas, framed in metal. They showed amorphous forms, very colorful, very bright. For months I lay in front of the television with my camera and shot innumerable pictures out of boredom and not knowing what to do. I used these as the base of this work. The subjects for the silk screens come from here—excerpts and distortions, in which partially concrete references were still possible and partially the picture dissolved fully into the undefineable."

Rockenschaub's statement describes a radical change in his work: indeed at first the operations which he uses for his work remain untouched yet the form of his work changes radically. That not only applies to the appearance of his image objects which can now be traced back to mechanical production methods, but rather, primarily to the spatial reference. Earlier Rockenschaub played with every day situations through the installation-like hanging of the paintings and through the use of functional furniture, yet now he initiates an encounter with the social behavior which the room programs. By thematicizing the behavior of the recipient, Rockenschaub follows a double strategy. At first he develops installations which steer the movements of the observer in the room. Then he refers more to the forms of perception which determine the recipient. Both times it is about an analysis of the subject which is now understood as the result of a production. Rockenschaub sensitizes his experiences in the Techno scene for this fluid subject.

Techno can be traced back to House, an abbreviation for the Warehouse, *a dance club in Chicago where this musical style was created at the end of the seventies by the DJ Frankie Knuckles.*[13] *It took several years until the music of the subculture of the gay and lesbian clubs in Chicago became a European music trend. Rockenschaub who had cut himself off from the music scene in 1983, discerned this new development in 1986, at a time when his painting had reduced itself to a few elementary gestures: canvasses in a 14 x 14 centimeter format on which colored circles were put like a relief. Techno mechanized the sampling of New Wave and perfected it with the help of computer technology. Pieces of the most diverse styles can be stored electronically. The discjockey-composer separates them in his computer and prepares his performance during the long night of dancing while mixing this material together 'live' with other phrasing stored on albums, in an unrepeatable spontaneous way. The similarity to an improvisational jazz form, "that plays with past and present forms of sounds in order to create a new form each time ..."[14] is clear here. Techno implies a technology of recalling cultural structures. The music actually aims, in this uncommon amalgamation of cultural patterns and visualization, at the reaction of the dancers, who can forget themselves in the continuous beat of the music. The most important effect of Techno, writes Hillegonda Rietveld, is the emotionalization of the dancers. This allows the subcultural origins of Techno to be recognized, the loss of the social constraints of contour. Yet the Techno event does not, in any way, end in escapism. It is much more so that lifting social constraints initially makes the social order able to be experienced. "The availability of these oppositional practices is mapped onto social time and space, organized into a system of domains," writes Rietveld.[15]*

In the cycle of the twelve hours of a Techno-night new identities can be created which clearly border themselves off from those which the protagonists have to don during the rest of the week. With that, new criteria for 'normalcy' are also created.

Not only do Rockenschaub's newer works apprehend mechanized production forms when he relinquishes painting in favor of silk screen, and later uses also the computer for reworking images, installations and exhibitions. Not only does he use materials such as plexiglas and plastic film, which follow along with the technoid appearance of Techno-fashion. In his artistic expression he also tries to reach that simplicity which embosses this musical style: "There are Techno tracks with a drum machine and maybe just an effects machine. And the track is still, or even because of that, funky, sexy and it works in the club. You can dance to it. I also see my approach in this way: reduction to a few parameters with which one forms a work." Since the late eighties his work primarily takes off ever more strongly from the social pattern which Techno also latently thematicizes. This is increased by his activity as DJ beginning in 1988. The artist experiences the doubling of social realms which can be instrumentalized and cross-referenced for art.

The Construction of Situations

Rockenschaub's work, developed in 1989 for the exhibition with Paul Maenz, appears as a resume of the time since 1983 and it opens new working dimensions because in a radical way it is de-materialized. The thirty six plexiglas tableaus screwed on as an expanse in front of the hanging wall in the room of the gallery, which was already installation-like, are the most radical form of that module system which Rockenschaub had already used in his collaboration with Brandl. The picture, however, has become transparent. It shows that dispositive that as mechanism of his presentation should actually remain hidden. This dispositive, however, does not only consist of the architectural structure of the exhibition space. It also aims at coding the behavior of the exhibition visitor.

▲ **1990**, Galerie Walcheturm, Zürich, 3 Spanplatten, hellgrüne, rote Acrylfarbe *(3 chipboards, light green, red acrylic paint)*

▲ **1991**, Galerie Metropol, Wien, verchromtes Eisen, Glas, rotes Klebeband, 168,5 x 204 x 67,5 cm *(chrome-plated iron, glass, red tape, 168.5 x 204 x 67.5 cm)*

The recipients, those in the gallery and those outside, are once again a theme of the installation which Rockenschaub designed a year later in the Galerie Walcheturm. In its central room, a former cinema hall, he combined four columns with wooden boards so that an excluded inner room arose. What could then appear as a painting for the passersby outside, in front of the show case window based on its positioning in the center of perception and the red painting of the wall visible from the outside, had a predominantly installation-like appearance for the visitor to the exhibition. The walls regulated their movements if they wanted to see the colorful wall once more which they could have viewed without any difficulty from the outside.

In a 1994 contribution to a publication in which Chantal Mouffe put together all the critiques of Rockenschaub's work, she pointed out the philosophical meaning of the exclusion. In her influential book Hegemony and Socialist Strategy, *that she put together with Ernesto Laclau, the authors replace the common intuition of society through the idea of a permanent encounter in which the social givens are permanently constituted. "That means," wrote Mouffe in 1994, "that every social objectivity is political in the end and must show the traces of exclusion which determine its genesis ... if one admits that an object in its most inner being is inscribed as something other than itself and as a result of that, everything is construed as difference, then such a concept makes clear that its being cannot be grasped as a pure 'presence' or 'objectivity'."[16] The quotation makes us sensitive to the fact that Rockenschaub's blockades do not aim only at the area of movement of potential visitors, but rather at the recipients as a social form articulated in an encounter characterized by a constellation of power.*

With a political theory such as the one formulated by Chantal Mouffe, a completely new field of political intervention opens up for behaviorally related pragmatic art. It no longer exhausts itself in the propaganda of 'correct' ideologies, but rather participates strategically in the hegemonial conflict in which social actualities form. Recognizable here is the decisive role which the politicization of post structural theory had at the end of the eighties for the development of a completely new art paradigm.[17] *With that, the artistic form did not change. Philosophy and political theory offered much more a picture of society which merely re-oriented artistic practice to its established instruments. Political practice, according to Mouffe, consists therefore "not in the defense of preconstituted identities rather more in the constitution of these identities themselves on a precarious and thoroughly attackable terrain."*[18] *The 'healthy human understanding' according to this, appears only as a result of such an encounter, as the establishment of an intersection with which the flow of the chain of signification is set. Chantal Mouffe herself points out possibilities of aesthetic intervention in her*

▲ **1991,** Galerie Metropol, Wien, 8 Spanplatten, Farbe: gelb Bondex 3D Y 81 *(8 chipboards, color: yellow Bondex 3D Y 81)*
◄ **1991,** Galerie Metropol, Wien, Baumwollkordel, 200 cm, 2 Messinghaken *(cotton cord, 200 cm, 2 brass hooks)*

contribution: "Therefore there is always the chance of subversion of an order created by a certain discourse through disarticulation of its elements and through setting up of another means of articulation."[19] When Gerwald Rockenschaub in 1992 in Nice and then in 1993 in Venice leads the exhibition's visitors through scaffolding construction to sites which they would normally never arrive at and thus opens perspectives which they would normally never perceive, he thereby not only leads them astray spatially,

◄ **1993**, Galerie Metropol, Wien, Holzwand, weiß gestrichen, 155 x 497 x 8 cm, Bank aus Lärchenholz, 42,5 x 200 x 42 cm *(wooden wall, painted white, 155 x 497 x 8 cm, bench made of larchwood, 42,5 x 200 x 42 cm)*

► **1993**, Galerie Metropol, Wien, Tür mit Guckfenster, 230 x 78 cm *(door with peephole, 230 x 78 cm)*

but also achieves a type of disarticulation, as formulated theoretically by Chantal Mouffe.

It is interesting to compare Rockenschaub's exhibition in the Galerie Metropol from 1991 with the one from 1993. Again he offers the visitor three situations into which they can put themselves. Yet this time it is not so much about their movement but more about their forms of perception. Whereby the plexiglass sheets play with the distance of the observer to the office door behind them, now a window is cut into the door itself. In the central exhibition room a half wall arises, the passerby can take a place there, in front of it and there is a view through a floor length window to the outside. In the basement of the gallery there is a short stairway which gives the visitor the possibility of throwing a glance over a wall which would normally be too

▲ **1993**, Galerie Metropol, Wien, Holzwand, weiß gestrichen, 2 m hoch, 3stufige Treppe, 75 x 63 x 60 cm
(wooden wall, painted white, 2 m high, tripartite stairs, 75 x 63 x 60 cm)

high. While the movement of the observers and their positioning in the room were still emphasized in 1991, now it is their mode of perception: seeing that which is actually not seeable, being seen while seeing; seeing those seeing, seeing.

Prerequisite for a social theory as it arose as of the mid-eighties and for which Chantal Mouffe is only one—albeit excellent—example, is the questioning of the subject as postulated by traditional metaphysics. While the old philosophy grasped the subject as an essence, post structuralism also introduced it as a product in which the gaze, as worked out by the psychoanalyst Lacan, plays a constitutive role. Rockenschaub's reference to perception orients itself more on the fact that in a media-based society the concrete space for image presentation, the exhibition room, hands over a bordered framework for intervention. Today, symbolic forms of identification are no longer offered in museums and novels, but rather, are available on a much broader basis through the media. It seems reasonable to take up such symbolic patterns whereby normally the television or feature film are not required. These articulation processes can definitely be thematicized in the exclusive rooms of museal expression forms without them being mere metaphorical methods.

The principles mix themselves in Rockenschaub's works which have arisen in the past few years. In Galerie Mehdi Chouakri, two plexiglas walls steered the visitor out of the central entrance axis. They were movement transformers as well as perception instruments. Rockenschaub purposefully used his own repertoire. For example, in the second room of the gallery in Berlin he once again showed a synthetic curtain which had already structured a different space in Lucerne. The staging of this exhibition seems simple, almost too cool. Its outer appearance covers over the effectiveness of the installation, seemingly on purpose. When he drafts an installation, Rockenschaub pays just as much attention to the emotional effect as he does when he is a DJ. This makes his minimalism funky.

Aesthetic Action

For those who have followed the development of Gerwald Rockenschaub's work over more than a decade and a half, the concept of an aesthetic pragmatism begins to gain clarity. Since the seventies, artists, both male and female, have developed strategies which create an entranceway to works of art through daily activities and thereby avoid the contemplative reception attitude that exhibition spaces traditionally demand of their visitors. Included in that is also institutional analysis as carried out by Michael Asher and Daniel Buren as well as interventionist practices propagated in the eighties through Act Up *or* Group Material.

While the attention of these and many other artists is directed more and more to the use of symbols and less on the formulation of messages, based on the example of Gerwald Rockenschaub it is clear what the consequences are of these other types of artistic practices. They thus relate the aesthetic products directly to a specific time and a specific site. More precisely, one must say: works are no longer created within the intimate space of biographical time and biographical site; they arise through dialogue in reference to the every day world. From that, a specific temporality of this pragmatism follows. While the autonomous aesthetic constantly presupposes an idea structure and considers the work in a certain sense as a 'tardy' realization, the pragmatic aesthetic deals in a present-ness.

It must therefore no longer ask for possibilities of binding art and life as it arises out of the social frame of actions. The artist-author is first a member of a society and, as required, must construct him/herself as its 'outsider.' The recurring question as to how the interventions of artists differentiate from the activities of service workers and social workers is therefore posed incorrectly as it begins with the assumption that art is a realm separate from society. Actually, the artist of today must determine the aesthetic quality of all of his actions. This definition can no longer be achieved through characteristics of the work itself. The aesthetic dimension of an action is yielded much more by the doubling of an action which is determined by a certain deviation from the norm. Such a deviation can surely be produced so that the every day action is merely set in reference to other action-models in an unusual way so that it works like a quotation. 'Sampling' is what makes this deviance possible.

Apparently the aesthetic action as such is not yet sufficient to demarcate an autonomous area of art. Through the crossover of Techno and art scene, Gerwald Rockenschaub made clear that operating aesthetically is, today, itself a part of every day life. We are beginning to understand that currently in many social groups, identity is constructed in a pragmatic way. The institution of art appears to be merely one *area of aesthetic practice among many; and maybe it is precisely this area in which practical competence (in contrast to the theoretical competence in philosophy and cultural studies) is retained.*

1 Ludwig Wittgenstein, Philosophical Investigations I,43
2 Quoted from: Robert Fleck, Avantgarde in Wien. Die Geschichte der Galerie nächst St. Stephan. Wien 1954–1982. Kunst und Kunstbetrieb in Österreich, Vienna 1982, p. 491. Fleck's book is not only interesting from the perspective of art history because it intimates the artistic offer which the generation of artists such as; Rockenschaub, Brandl, Zitko, and also Zobernig and Kogler were confronted with between 1978 and 1982; his book was already published in 1982 and could therefore, for its part, work within the development of these artists with his theories.
3 See ibid., p. 501
4 Conversation between the author and the artist in January 1999. The influence of the group is also seen in that at the beginning of his art studies he did not really consider himself to be an artist, but rather, registered for art pedagogy: "on the one hand, art interested me, on the other, the group seemed to be right when they viewed art as an elite even of bourgeoisie and the artist as its lackey. A fairly ambivalent situation for me."
5 Bazon Brock, Objektwelt und die Möglichkeit subjektiven Lebens. Begriff und Konzept des Sozio-Design, in: Ästhetik als Vermittlung. Cologne 1977, p. 446. The book, as Heimo Zobernig said, was available in Vienna and definitely belonged to the reading material of the students.
6 Molto Brutto was founded in 1980 and then broke up three years later. Apart from Gerwald Rockenschaub, also playing in the group were: Fritz Grohs, Gunter Damisch, Sepp Danner and Andreas Kunzmann.
7 Cressida Miles, A Gendered Sense of Place, in: Steve Redhead, The Clubcultures Reader. Readings in Popular Cultural Studies, Oxford 1997, p. 74. In the sense of Punk as a "tactical block" Rockenschaub can be understood when he then highlights the "cultural context" which Punk delivered: "When I play in a punk band, then I have a cultural horizon which influences not only my artistic statements but rather my entire life and also my political attitude." (conversation with the author, January 1999).
8 The Fanzine Sniffin Glue published what was definitely the most famous statement of Punk philosophy, a diagram with a guitar chord and the inscription "Here's one chord, here's two more, now form your own band."
9 Punk possesses a hidden reference to the fine arts. One of its most important promoters, Malcolm McLaren is a graduate of an English art school and at first practiced minimalist sculpture. He then belonged to a British formation of the situationist international. The opening of the shop "Sex" together with Vivienne Westwood, as well as the founding of the Sex Pistols, one of the most famous punk bands, should maybe be understood as a n intervention in the sense of situationist theory and compared with Warhol's "Factory."
10 These methods recall the practice of Italian artists, who were compiled under the label arte ciffra and whose exhibition "Die enthauptete Hand" toured Europe in 1980. (The Galerie nächst St. Stephan showed the exhibition in spring 1980) The artists were also inclined to paint the rooms of the museums in color and integrate their pictures in these installations.
11 Fleck, loc. cit., p. 516
12 G. Rockenschaub in conversation with the author, January 1999. All further quotes, if not otherwise indicated, stem from this conversation.
13 See:. Hillegonda Rietveld, The House Sound of Chicago, in: Steve Redhead (Ed.) The Clubcultures Reader, Oxford 1997, p. 124ff
14 Ibid., p. 126
15 Ibid., p. 127. The author refers here to: Robert Hodge, Gunter Kress, Social Semiotics, Oxford 1988
16 Chantal Mouffe, Politik, Gefühle und die Medien, in: Wiener Secession (ed.), Gerwald Rockenschaub. Kunst/Kontext/Kritik, compiled by Ulli Moser, Vienna 1994, p. 177
17 See in addition: S. Schmidt-Wulffen, Von der Kritik zur Komplizenschaft (und zurück). Notizen zur Rezeption der cultural studies in der amerikanischen Gegenwartskunst, in: Im Blickfeld, Jahrbuch der Hamburger Kunsthalle, 3/1998, p. 137 ff
18 Chantal Mouffe, loc. cit., p. 178
19 Ibid., p. 178

(Translation: Lisa Rosenblatt)

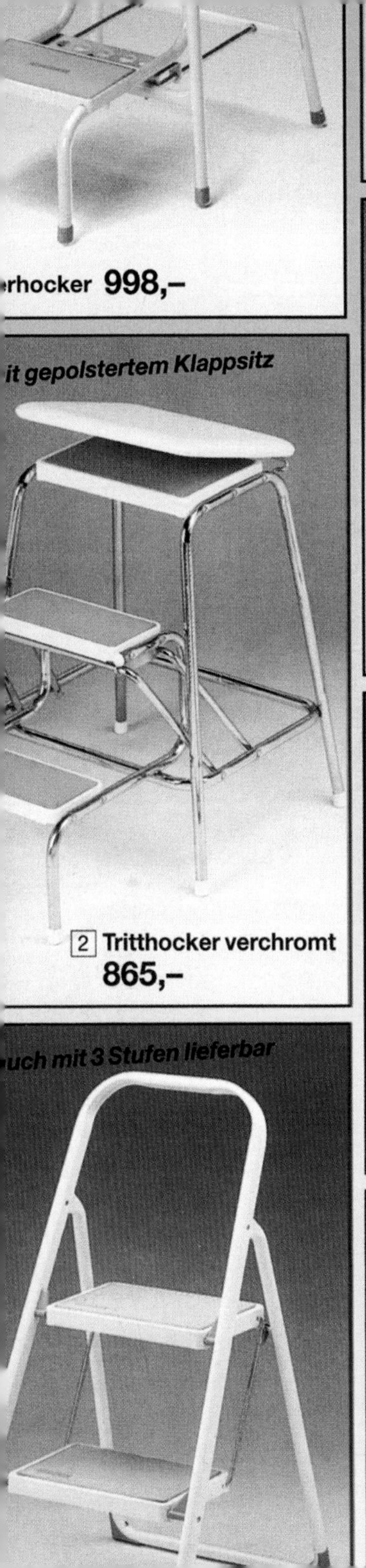

4 ab 1299,–

5 Schrankleiter
979,–

✔ mit großer Trittfläche

6 Podest
ab 3299,–

Tritthöhe bis 570 mm.
Gewicht 5,7 kg.
Best.-Nr. 73B/681 70

3 **Klapptritt** mit h
große Stufen, ruts
460 mm, schmal zusa
Stahlblech, 200 x 300 x
Gewicht 4,3 kg.
Best.-Nr. 73B/681 71

o. Abb. **Klapptritt** wie v
Tritthöhe 690 mm. Gew
Best.-Nr. 73B/681 72

4 **Montagetritt**. Ge
aus Leichtmetall
rutschsicheren Leichtr
Gummikappen.
Maße: Plattform ca. 0,5
Stufentiefe ca. 0,22 m.

Größe (Stufen)	senkrechte Höhe ca.
1	0,20 m
2	0,40 m
3	0,60 m
4	0,80 m
5	1,00 m

5 **Schrankleiter,** zu
metall einseitig be
300 mm, mit Anschrau
rechte Höhe aufgeklapp
480 mm, zusammengek
Gewicht: 2,1 kg.
Best.-Nr. 73B/681 73

6 **Podest,** klappba
Leichtmetall-War
hen. Geriffelte Trittstuf
mm tief. Holme mit Gu
Stand. Mit einem Griff

obere Trittfläche mm
Podesthöhe mm
Standfläche am Boden m
Maße zusammengelegt m
Gewicht kg

Best.-Nr. 73V/681 92

obere Trittfläche mm
Podesthöhe mm
Standfläche am Boden m
Maße zusammengelegt m
Gewicht kg

Best.-Nr. 73V/681 93

Peter Fend

A Full-scale Response ... to Recognized Conditions

In 1973, when the world suffered its first so-called oil shock, or war-derived shutdown of a large part of the fossil-fuel base to our economy, a Harvard sociologist wrote a book as part of studies for the Commission on the Year 2000 (even then) entitled "The Coming of a Post-Industrial Society: A Venture in Social Forecasting."

Intellectual fashion has gone on thereafter to suggest that we have entered an Information Era, leaving behind the machine shop of the Industrial Era, and that somehow or other all the manufacturing of the world will be done by robots... or Third World nationals. We of the Western World, or at least the intellectual-artistic milieu in that world, can leave industry behind and concentrate on becoming "post-industrial."

As with any intellectual fashion, there is only some truth in such a view. Yes, we—presumably, any of my readers here—need not expect to work in a machine shop, nor even in the executive offices of a machine company such as, say, Daimler-Chrysler. Yes, we of a certain social and national background can expect a career-world with an "increasing specialization of intellectual work into minute parts." But no, we will not see less industrial production, or even less industrialization of the means of production. Instead, we will see, and have seen, a continual increase in the industrial, as opposed to hand-crafted and individual, modes of production, packaging, marketing and distribution of material things.

It behooves artists, who are responsible for material culture, or the aesthetic and attitude regarding material things, to take a lead in guiding the directions which our industrial productivity takes. This may appear as a bold statement, but it becomes normative when we adopt an anthropological point of view. In any society, the valuation of material things, and the decision of what tools to use or not, what ways of seeing to adopt or not, what objects to possess or not, even what weapons to wield or not, derives first from aesthetic assumptions. It derives first from ideal forms and ideal modes of seeing or organizing materials in space as set forth, for aesthetic consumption, by artists.

When, as now in history, there are advanced industrial economies which can mass-produce ever-greater quantities of images, messages and products, then there must be artists who can rise to the challenge of giving direction and concision to mass-production. As many ecologists and sociologists write, the great need of today is to direct the juggernaut of Industry so that it does neither destroy the planet nor disintegrate societies. We all know that appropriate ecological and social technologies exist, or can be easily developed, but we also know that the selection, combination and

social-adoption of new technologies (whether in the capital markets or the supermarket) remains a daunting task.

This task—this concentrated effort to bring Industrial Capacity into the service of genuine personal desires—has been undertaken by a relatively unassuming and soft-spoken artist, Gerwald Rockenschaub.

This artist, based in a relatively unassuming and soft-spoken city, Vienna, is not trying to be a hero. He does not perform any heroic feats. But he does what must be done. Unburdened by conventions to be learned in an academy (he left halfway through), Gerwald Rockenschaub has proceeded directly to producing what artists in the turbulent Milanese scene of 1975 (as reported in Magazin *Kunst*) declared to be "Art": "the appropriate response to recognized conditions."

The "recognized conditions" of our time are dealt with by Rockenschaub on a personal level. They are conditions which everyone can daily experience in our advanced industrial economies. They are conditions made possible by huge industrial productivity.

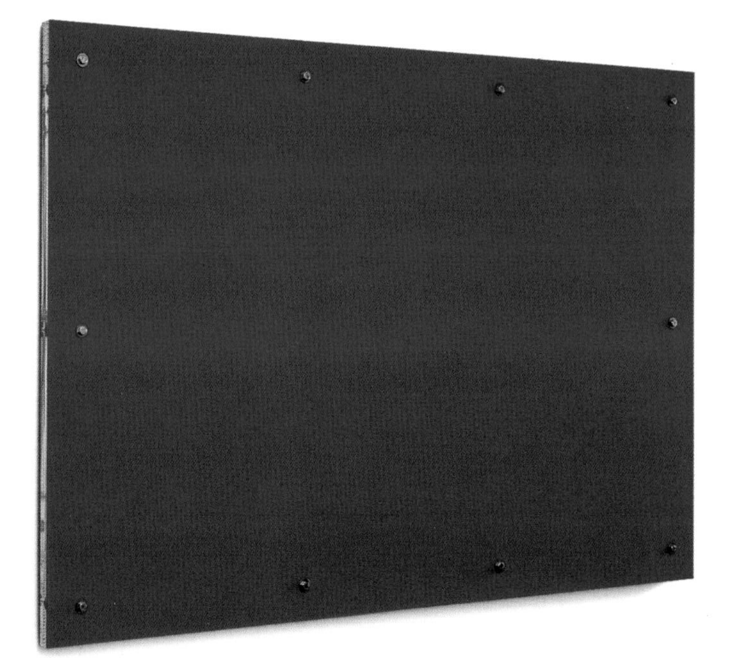

(1) in a given interior space, all the components can be made to order from industrial fabricators in metal, plastics and composites, and do not need to be made or designed by hand;

(2) in a given urban space, the chief visual and kinesthetic experience is of the journey—by foot or vehicle—from the building one is visiting and a central transport hub, like the railroad station;

(3) in a given social space, where people are meeting without a precise business agenda but in a party, the chief visual experience is of the crowd and lights, and the chief auditory and psychological influence comes from a selection of industrially-recorded products (even if played by a live band) of music;

(4) for any given building, a principal question for any visitor is less how does it appear from the outside as how does the outside appear from it; consider that, when you enter an office building and take an elevator up, the first curiosity upon arriving in someone's office is, What is the view? This curiosity is reflected in the hierarchy of value for offices: the better the view, particularly if it's in a corner with two directions looking out, the more important the occupant. The same goes for houses: the better the view, and the better the proximity to estimable neighbors, the better the value.

(5) for any given building or meeting-point, a principal question for any visitor is less how does it appear from the outside than who or what is there inside; a clear label (be that words, flags or symbols) is needed;

(6) in any given space, the presence of humans or other sizable animals is a first question; the room is "charged" or not according to the water & air inflated volumes therein, and we instinctively take caution or take action in relation to those inflated volumes, e.g., humans;

(7) for any visual field, whether on a wall or in a forest, comprehension increases with comparable images placed side by side; this reflects the binocular nature of vision, with constant scanning left and right, useful most critically (in our primal hunting days) in the detection of change, or motion.

◄▲ **1988**, Acrylglas, 25 x 25 x 4,5 cm *(acrylic glass, 25 x 25 x 4.5 cm)*
◄ **1990**, Acrylglas, verschraubt, 80 x 115 x 2,6 cm *(acrylic glass, screwed, 80 x 115 x 2.6 cm)*
▲ **1992**, Acrylglas, 2 Messinghaken, 57 x 45 x 4 cm, *(acrylic glass, 2 brass hooks, 57 x 45 x 4 cm)*

These, on a day-to-day basis, are "the recognized conditions" of our lives. These reflect the stream of consciousness and the eye-brain activity in day-to-day life. With some minor modification, these "recognized conditions" reflect the lives of people in all societies. There is always a relatively standardized level of tool culture and construction; there is always, in visiting any settlement, a journey from the gateway to a particular building; there is always, when circulating with any large group of people, a unifying musical practice; there is always, when one visits a person in his place, an immediate need to view the surroundings to that place and see the context in which that place exists; there is always, given our vertical posture and central-focusing lateral eyes, a comparative process of vision going on, to monitor both threats and opportunities. Gerwald Rockenschaub responds to these universal conditions in advanced industrial settings, like modern-day Western Europe, but he is probably as well prepared to make a response—with the modus operandi that is his art—in a primitive hunter-gatherer village. His purpose, after all, is not to "make art," but to heighten the awareness of the eyes and ears in our head. He is just making the gestures, or on-site interventions, which accentuate our recognition of what is already going on.

Some artists do this job. Most don't. Most think that their task is to make art. So they make objects which look like artworks and can be nothing else but artworks. The works just say, "This is an object of art," and they usually also say, "This has some sort of value in the cultural market, and possibly also the antique market." Such works do not say anything about what is going on in our consciousness daily, in our experience of the planet.

Our experience in the past several lifetimes, the past century and a half, going on through 2000 and beyond, has been of very fast, ever-faster industrialization. By this I mean, as described in any good dictionary or encyclopedia, a shift from the hand-craft production, one at a time, of material products, to the assembly-line or similarly-sequenced production of a very large quantity of

▲ **1991**, Acrylglas, Messinghaken, 32 x 25 x 7 cm *(acrylic glass, brass hook, 32 x 25 x 7 cm)*
►▲ **1991**, Acrylglas, Messinghaken, 32 x 25 x 7 cm *(acrylic glass, brass hook, 32 x 25 x 7 cm)*
► **1991**, Galerie Metropol, Wien, Acrylglas, Messinghaken, je 32 x 25 x 7 cm *(acrylic glass, brass hook, each 32 x 25 x 7 cm)*

products, with each stage of production involving a repetitive, systematized action, each action causing one or another set of interchangeable parts to be fitted into an already-assembled set of parts, leading to a rather steady stream of uniformly-engineered products. With robotics and computer-aided manufacturing and design, the assembly line becomes ever-more able to generate a variety of products, in different measures, different colors, even different design styles, but the basic industrial procedure—of dividing up the tasks of assembling materials, making parts out of them, and then assembling all the parts, ever in repeatable motions or decisions—

remains the same. Key phrases include "production management," "operations research", "time-motion studies" and "sampling-estimation." The aim is to produce as many copies or versions of a product as people will buy, either individually or through state, corporate or collective entities. No more, no less.

Achieving this aim requires close study of what people, or their collective entities, truly want. Or, at least, what they can most efficiently understand and handle. Thus, more and more of the work that has previously been done by artists and craftspeople, of finding the right measure, material and configuration for various objects and

viewings in the world, is being researched and solved by industrial engineers and industrial designers. The task of an artist making end-use products, for the enjoyment of private buyers, becomes less one of craft than of selection. Less one of "creative" production than of considered placement. The industrial system incorporates an ever-greater quantity of the decisions which go into producing aesthetic, meaningful images, objects or spaces. The responsive artist, then, does not try to make things; he or she tries to have suitable things made to order.

▲ **1990**, Galerie Vera Munro, Hamburg, 10 Acrylglasplatten, Messinghaken, je 32 x 25 x 0,3 cm *(10 acrylic glass plates, brass hooks, each 32 x 25 x 0.3 cm)*

I saw this practice in Rockenschaub when I was passing daily by his plexiglas-slab painting and sculptures. The works functioned, respectively, as a color field for viewing and a standing structure for occupying a position. But all the manufacturing work and most of the aesthetic decisions were already made before Rockenschaub went to the plexiglas company and a hardware shop to select and have cut to order the final components of the displayed works. Energy that had gone into making objects, or pictures of objects, now was going into choosing those industrially-produced materials which, when going through a final selection and assembly process, often in relation to a site, would achieve a desired effect. Why work in a studio when you can let the entire array of industrial production, with its millions of person-hours of aesthetic and kinesthetic research and decisions, produce nearly all the works you need for you?

So, in an "appropriate response to the recognized conditions" of industrialization, along with computer-aided custom fabrication near the end of the multi-stage conversion from raw materials into final products, one does as little as possible to achieve the desired visual and sensory effect in a given space. One aims to let the industrial system do all the work. One therefore starts making the industrial system serve the needs of the end-users, the consumers, rather than having those users be enmeshed in serving it. One starts to influence what gets mass-produced, what does not, and what gets produced up to a point of being custom-designed. One uses the entire industrial capacity of a society as a palette.

This capacity appeared dramatically in the upstairs gallery of the Secession. There, the artist noticed that windows allowed visitors to see across the street, where a combined cultural center and office building designed by a name architect was being built. As the Futurists shouted, a city under construction with modern technology is far more exciting to watch than all the paintings in museums. And as anyone can witness of passersby, this is true. People, ordinary people, the vast majority of people, like to look at buildings being built. So why, when there are windows in the upstairs gallery which can be opened up to allow a fresh-air, up-above, panoramic view of the entire construction in process, should there be any other visual presentation? Why not just find a few chairs suitable for long-term viewing and place them in front of the window, to allow people to watch what is happening right then to the immediate surroundings of the Secession? Some of the culturati complained that Rockenschaub did "nothing." But why should he? He was fulfilling his task of letting the visitors witness the most interesting events at that site.

To decide whether Rockenschaub did enough by doing "nothing," almost, we can adopt a standard I learned from Peter Nadin, a member of the unincorporated predecessor to my corporate venture, called then "The Offices of Fend, Fitzgibbon, Holzer, Nadin, Prince & Winters." Nadin said that the measure of art lies not in how it is made, or whether it is made at all, but in how it is received. Further, he said, we must always be

asking, "What is the effect—in social behavior, in personal conduct, in political action—of the work being received?" Our colleague Richard Prince made similar remarks. And a leading force in the Offices, Jenny Holzer, certainly had similar ambitions: she wanted whatever we did to achieve a

▲ **1991**, Galerie Susanna Kulli, St. Gallen,
links (left): Acrylglasplatte, 200 x 120 x 2 cm
(acrylic glass plate, 200 x 120 x 2 cm)
rechts (right): weißer Teppich, 400 x 200 cm
(white carpet, 400 x 200 cm)
unten (below): 8 Teppiche, 400 x 200 cm
(8 carpets, 400 x 200 cm)
► **1991/92**, Plakate für Austrian Airlines
(placards for Austrian Airlines)

desired effect, of changing social or institutional behavior. It is vital not to ask, "Is it art?" Rather, one must ask, "If I were presented with this situation, for example this placing of chairs in front of window looking upon a construction site for an important, architecturally-notable building, what would be the effect on my behavior, on my attitude towards the building under construction, and also on my attitude towards that event in relation to the building in which I now am standing, the Secession?" The effect on our eyesight, as well as on our understanding about the Secession and the cultural climate of Vienna, can be profound.

Wherever possible, Rockenschaub uses the industrial means available to just about anyone, since they are directed to mass-production to satisfy just about anyone,

so that a change he desires is effected in the visitors to his work. If people went to the Austrian Pavilion in 1993, they were led—through a straightforward installation of industrial scaffolding—into climbing many stairs and seeing the surroundings of the building, even the plan of the building itself. The scaffolding, like all the technologies used by Rockenschaub, was of a standard, everyday type. The effect on visitors, however, was astonishing. Why, they could ask, were they being expected to climb up and down many metallic, temporary stairs in order to see the surroundings of the Pavilion, as well as the Pavilion itself from up high? Merely raising the question would set the stage for long-term effects.

Those effects, those art-historical and civilizational consequences, appear in the gradual accumulation of projects by Rockenschaub. As in an assembly-line factory so with the works of Rockenschaub, we see a growing array of visual components, each one simple and mass-producible, which can be assembled and combined into ever-larger and more complicated constructions. All the works produced, or rather made to order at a factory outlet, can be combined or grouped together in apparently endless variety. The process appears most plainly in Rockenschaub's billboards for Austrian Airlines. Having seen that billboards of a certain standard size are actually mosaics of many smaller

▲ **1998**, Galerie Hauser & Wirth & Presenhuber, Zürich, links (left): 10 aufblasbare Objekte, farblose, transluzente PVC-Folie, je 200 x 200 x 200 cm *(10 inflatable objects, colorless, translucent PVC-foil, each 200 x 200 x 200 cm)* rechts(right): Siebdrucke auf Alucore, Aluminiumrahmen, je 70 x 100 x 3 cm *(silk-screen prints on Alucore, aluminium frame, each 70 x 100 x 3 cm)*

placards, and having seen that the placards can be pasted up in any order, Rockenschaub placed an order for 8 different single-color placards. Then he had them pasted up in different order at each billboard. The result: instant multi-colored mosaics, each one different from the others. The same rules for variety of arrangement, with consequent change in aesthetic reception, apply to the array of 10 different inflated clear-plastic cubes positioned at Galerie Hauser & Wirth in Zurich. All 10 cubes need not be used all the time. Perhaps only two or three are used at any time. Any collector has full discretion in the arrangement, and even number used, of the lightweight building blocks.

This practice extends throughout the oeuvre. As Rockenschaub was showing me his current drawing and painting projects on the computer, with nothing done by hand, and each initial image being very simple, I could see a strategy—easily carried out within the computer—of combining, overlaying, reformatting and otherwise assembling the very simple images, along with very simple color fields, into an endlessly permutable

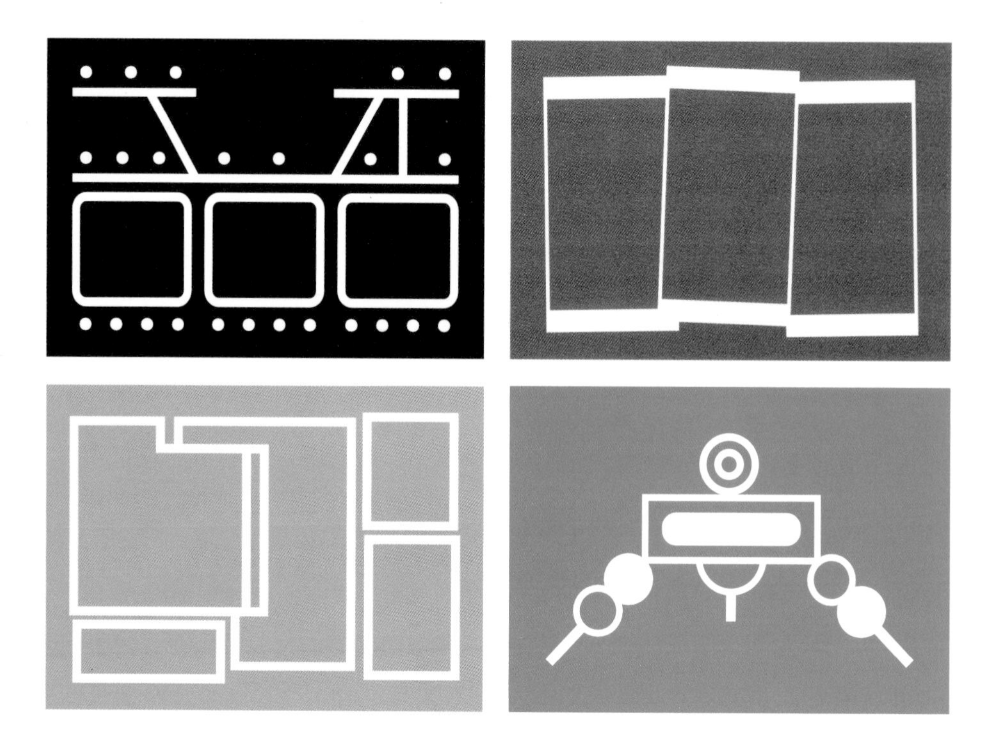

variety of images. Some images are line drawings, some are colors, some are generic landscapes or architectural perspectives. Until that visit with Rockenschaub, I had long held the view that works of art could be either drawings (two factors) or paintings (3 factors, including color) or sculpture (4 factors, including elevation) or architecture (4 factors, including time, or the action of moving through the space). The either-or paradigms dissolved

▲ **1998**, Siebdrucke auf Alucore, Aluminiumrahmen, je 70 x 100 x 3 cm *(silk-screen print on Alucore, aluminium frame, each 70 x 100 x 3 cm)*
◄ **1999**, Farbfolie auf Alucore, Aluminiumrahmen, 80 x 100 x 2,5 cm *(color foil on Alucore, aluminium frame, 80 x 100 x 2.5 cm)*
► **1999**, Farbfolie auf Alucore, Aluminiumrahmen, 90 x 128 x 2,5 cm *(color foil on Alucore, aluminium frame, 90 x 128 x 2.5 cm)*

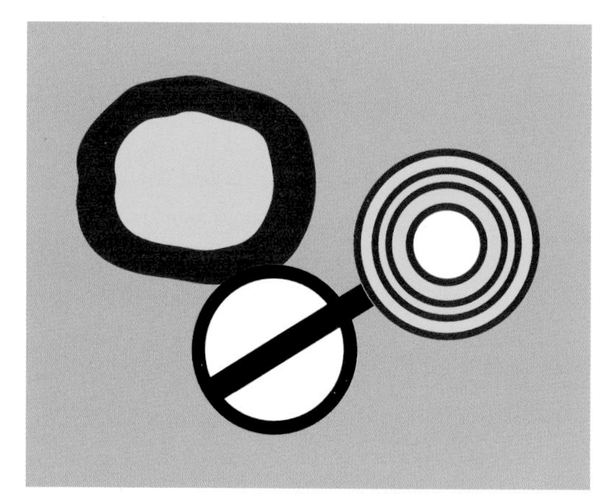

into a sea of both-ands. A drawing could be combined in the computer with a painting, and could be situated in turn within an architectural plan. Each work, coming from a different visual-spatial action, could be combined, to be assembled into multiple-work, multiply-overlaid complexes. Every image on the computer screen becomes a building block, ready for combination and assembly into still richer com-positions. Throughout, all the work is done by machine. This means that, given suitable programming, all the work is repeatable or permutable by machine. We witness the construction of a factory for making art. Not Warhol's Factory of craftspeople, not Serra's foundry for unique forgings, not Mucha's factory for machine-manufacturing nearly-identical structures, but a digital assembly plant combinable with computer-aided manufacturing so that, depending on how far Rockenschaub wants to go, and how much capital he can raise, there's no limit to image, object, and architectural-component production.

There is nothing grandiose in this prospect. It happens in the music industry all the time. It happens in the manufacturing industry more and more of the time, with assembly lines set to build laptops convertible with some CAD-CAM operations into production, instead, of fuel-cell systems. It could happen in architecture and building, particularly with components being custom alterable by computer input. Yet it has hardly, if at all, happened in visual art—except, again to a limited end-use degree, in the film and animation industries. The reasons for nothing yet happening are not technical, not even economic really, but perceptual. People persist in thinking that art is an elite practice, manifesting high culture and high thought. Music is mass-disseminated, and it is massively

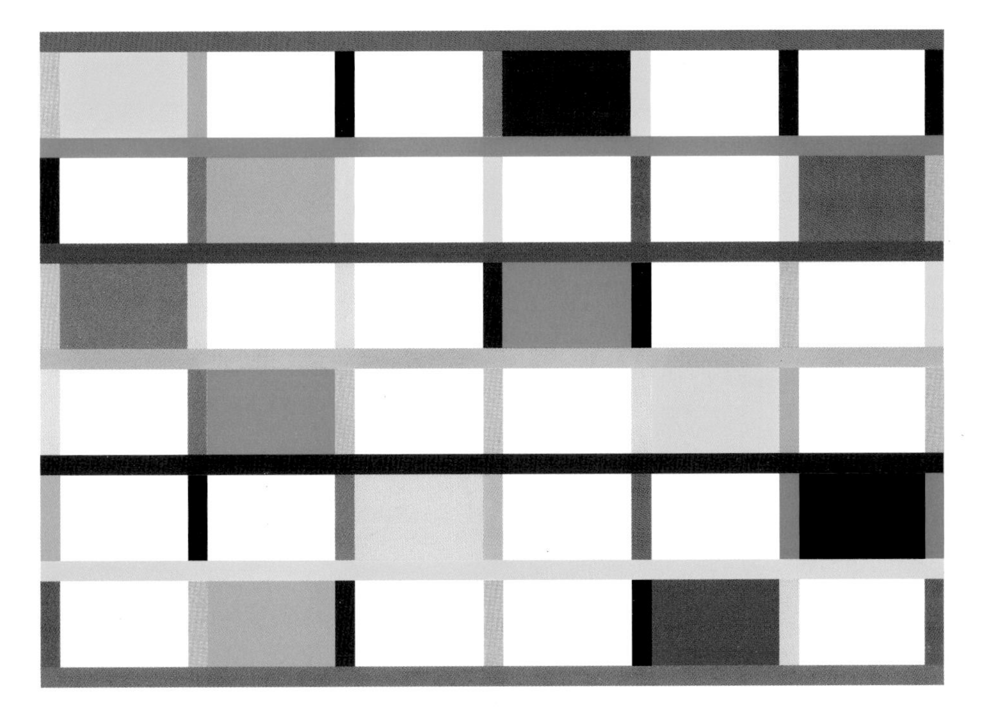

altered and end-use manipulated in another practice highly developed by Rockenschaub: DJ'ing. But art, quality art, probing and inventive art, the type of art appearing on the circuits Rockenschaub frequents, is neither mass-disseminated nor massively end-use manipulated, recombined and mixed. The art world instead takes pains to keep each artist isolated, studiously archived, thoroughly analyzed and discussed, ultimately left for dead as another biography with a few precious objects to be stored and remembered in cataloged solitude. So, art is a remarkably stillborn profession. Many ideas emerge, many ideas become manifest, but none take hold in the popular consciousness or the day-to-day built landscape. Walter De Maria builds one Lightning Field, a few other projects, nothing more, having been sanctified by the church of Heiner Friedrich and Dia. Joseph Beuys sought to effect social sculpture, but we end up with massive installations of mass-produced felt or fett, or with no public consequence. Gordon Matta-Clark dreamed of fulfilling Russian

◄ **1992**, Gilbert Brownstone Gallery, Paris, weiß lackiertes Metallgeländer, dunkelgrün gestrichene Wand *(metal railings painted white, wall painted dark green)*

► **1993**, Österreichischer Pavillon, 45. Biennale von Venedig, links (left): Fahne: Metall, rot lackiert, 80 x 110 cm *(flag: metal, painted red, 80 x 110 cm)* rechts und unten (right and below): Laufgerüst: Standardregalelemente COSMETAL PF/80, Laufstegbreite 1 m, max. Höhe des Laufstegs 4,46 m, Höhe des Geländers 1 m *(Scaffolding: standard shelf elements COSMETAL PF/80, width of scaffolding 1 m, maximum height of scaffolding 4.46 m, height of railing 1 m)*

◄ **1993**, Beschriftung auf einem vorhandenem Baugerüst am Bundeskanzleramt, Wien, Juni - November 1993 *(inscription on an existing scaffolding of the Austrian Federal Chancellery, Vienna, June – November 1993)*

AUSTRIA

Constructivist plans for balloon-suspended canopies and structures, but neither his nor the Constructivist designs have come close to realization. No one takes art seriously as a source of building blocks. If one reads the Feuilleton regularly, one would think that art simply generates a swarm of soon-dead saints. All the heroics consist in getting 15 minutes of fame, among certain art-historical and well-to-do circles, but no impact whatsoever on that which art is ultimately all about: the material culture, the tools and perceptions and means of object production for a given society. Quite simply, the powerful and well-to-do—at least nowadays—will not stand for it. They will tolerate the collection of new artworks as instant antiques, as artifacts or relics of greatest value if not used. But they would not imagine how any of the new artworks might engender new architecture, new media, new industrial policy, new mass culture. This happened before, most recently in Renaissance Italy and 17th-century France, but it has yet to happen in response to the recognized conditions of our past several centuries: Industrialization, with interchangeable parts, sequences of production and assembly, and final-stage adaptability in design for a Variety Theater of markets.

Rockenschaub cannot accomplish what he is positioning to do alone. This may explain why, when he was invited to exhibit at the Austrian Pavilion in 1993, he chose to invite two other artists, from outside Austria, who could help effect a larger, coalesced platform. It may also explain why he spends so much time and energy building

1993, Künstlerhaus Graz, Balkon in der Ausstellung „Kontext Kunst“ *(balcony in the exhibition "Kontext Kunst")*

▲ **1993**, Leiternpodest, Aluminium, 284 x 114 x 180 cm
(platform with ladder, aluminium, 284 x 114 x 180 cm)

up a large public following in the Techno, rave and pop music worlds. Herein lies a constituency, a potential mass market for art, which can pay for all the mass-production and mass-marketing and mass-permutation of the many building blocks now in his computer and his Web site archive. Rockenschaub has many friends, in the social world, outside the present-day art world: would he deliver his building blocks to them?

But Rockenschaub is also not alone in tackling the phenomenon of Industrial Capacity. Sylvie Fleury certainly marvels, at least, at the visual aesthetic and mass-market imaging in the fashion industry, particularly with women's magazine covers (Venus of Willendorf, too?) and consumer goods like lipstick, shoes and cars—qua goods.

Reinhard Mucha, fascinated by the muscle and systematic seriality of industry, revels in the production with machine technology—not craft—of works which appear more to have come off an assembly line than out of a studio. Thomas Locher achieves the same machine-crafted look, but he gears it more to surrounding and defining spaces as subject to certain constitutional, linguistic rules—within those spaces. Such rule-shaping may have been a foundation for the industrial revolution, still underway, for it sets up an abstract and universal set of rules, or common denominators, under which all people can specialize to coordinate in a highly-complex system of interchangeable-part production meant to serve, through the market, individual needs. Peter Zimmermann, as well, produces machine-made objects—as advertising, display and packaging elements mimicking the process of shaping individual needs. And then there's New Yorkers like myself and Wolfgang Staehle, who have commingled since 1976, and who concentrate on working directly with engineers and scientists to build new industrial systems, respectively, of primary resource extraction and information distribution. A general maxim could be applied, coming from sometime-collaborator Jenny Holzer, and appearing in the Kunst-Arbeit frontispiece: "USE WHAT IS DOMINANT IN A CULTURE TO CHANGE IT QUICKLY." What is dominant, as anyone can see from a listing of the world's top 500 companies, is Industry.

More than with most of the above artists, the implications of the building-block practices of Rockenschaub are vast. First, he seems to never slide back into the pre-industrial mode which is common to artists, that of practicing "craftsmanship with tools." As far as I can tell, he will not even make a hand drawing except as a quick, discardable sketch. Everything produced is machine made, according to standard machine procedures, with nothing unique or personally distinctive in the design or fabrication. The inflated cubes, or the ribbed inflated color pads as thick paintings, or signs labeling their sites, or partitions and sliding panels, could all be measured out and made to specification by any industrial end-product fabricator in those materials, for anyone, as objects or architectural component or furnishings. Even the photographs or videotapes, being derived or blown up from real-phenomena documentation, are simply interesting excisions from reality. Anyone else could have made them, not as art but as a blow-up of a visually-striking phenomenon. Rockenschaub deals with the most common denominators of perception and production, denominators, which have been integrated into the mass-market, high-volume aesthetic of Industry. Thus far has Rockenschaub mimicked the Industrial Process. A historical question looms: would he go farther?

Until now, artists have usually maintained the view that they must be craftspeople, and that this should be manifested in the work. But with industrialization arises an historical gap: is the work to be one of a kind, made with hands and tools (including even most video art and much digital art), or is it to be made with scientific precision in industrial practices? A defining aspect of industrial practices, given in the dictionary, is that the task of converting raw materials into finished goods is conducted with pre-calibrated machines operating in precise sequences, allowing different stages of uniformity and alteration through time, "as opposed to craftsmanship with tools." Bruce Nauman, Joseph Beuys, even Richard Serra and Nam June Paik, have worked as craftsmen with tools. None of their work can be readily re-produced. None of it can be manufactured again, at least not in concept, by some autonomous and possibly robotized setup. This makes the work of most artists today functionally archaic. It provides little, if any, guidance in how to conduct our material or economic affairs. Nor even in how to build or organize our physical spaces, such as architecture. But with the group of artists I have cited, e.g., Mucha, Locher, and Rockenschaub, as well as others (to be thought about before final writing), a new stance is taken towards the industrial mass-production capacity. The effort is to not keep trying to practice a craft, to show some individual dexterity or sensibility, but to program, organize, exhibit or arrange what could be (and often are) technically mass-producible objects. One could call them "cognition" objects, suited for cognition exercises and eye-brain visual coordination. Not "art" really, just mental training, functioning much as Techno music provides a certain mental conditioning, day in day out.

Rockenschaub stands out from the other artists: although he does not personally choose to engage in mass-production of any of his works, there exists an aesthetic and end-consumption possibility for that. And because Rockenschaub is working also with the industrial capacity nowadays for variability and modification, even with computer-registered specifications in CAD or CAM, he is laying the groundwork—establishing the procedures—for "aesthetic management"—at least in all the product and architectural domains he has staked out. Artists can begin to master the vast array of industrial productivity to set the parameters for what would be suitable in a domestic environment, in a city, in a countryside, in the world around us. They could, indeed, become the "captains of industry," helping the public to choose one technology over another, one means of production over a less-aesthetically-pleasing other, one energy-production system as against another, all within the mandate which artists have had for aesthetic and material guidance of society since they first made paintings showing how to hunt and find food, or dance and find pleasure, on their cave walls.

Having arrived at the origins of art, in the pre-agricultural, let alone pre-industrial era, we can adjust the concept advanced by that sociologist of a "post-industrial society." The term just describes the emergence of a professional and technical class which would be free from industrial labor, industrial engineering, operations research or hands-on business management—and be able instead to work with industrial output in new ways. A better prefix than "post" might be "meta": the industrial system, ever expanding, is allowing people to take a greater distance from it and play with it like discs on various turntables.

Peter Fend

Eine umfassende Antwort ... auf die einmal erkannte Lage

Als die Welt 1973 die erste der sogenannten Ölkrisen erlitt, den kriegsverursachten Kollaps weiter Teile der von fossilen Brennstoffen abhängigen westlichen Industrien, schrieb ein Soziologe aus Harvard ein Buch unter dem Titel: „The Coming of a Post-Industrial Society: A Venture in Social Forecasting" [Die Anfänge der post-industriellen Gesellschaft. Eine Spekulation über den Verlauf der gesellschaftlichen Entwicklung]. Es erschien (damals schon) im Rahmen der Studien für die Kommission zum Jahr 2000.

Die intellektuelle Mode ist in der Folge dazu übergegangen zu behaupten, daß nun das Informationszeitalter begonnen habe, daß wir die Maschinenhallen der industriellen Ära hinter uns gelassen hätten und daß die gesamte industrielle Fertigung in irgendeiner Form auf Roboter übergehen oder in der Dritten Welt verrichtet werde. Wir dagegen, wir Angehörige der westlichen Welt oder zumindest wir, die wir dem intellektuell-künstlerischen Milieu dieser Welt entstammen, können die Industrie von nun an vergessen und uns darauf konzentrieren, „postindustriell" zu werden.

Doch wie bei jeder intellektuellen Mode entspricht auch diese Darstellung nicht ganz der Wahrheit. Gewiß, wir – also vermutlich alle, die diesen Text lesen – brauchen nicht davon auszugehen, je in einer Maschinenhalle zu stehen oder auch nur in den Büros eines

Maschinenherstellers, wie beispielsweise Daimler-Chrysler, zu arbeiten. Wir, die wir über einen gewissen gesellschaftlichen und nationalen Hintergrund verfügen, können davon ausgehen, daß unsere Karriere geprägt ist durch die 'zunehmende Spezialisierung intellektueller Tätigkeit in immer verzweigtere Bereiche'. Das bedeutet aber nicht, daß die Industrieproduktion, oder die industrielle Fertigung der Produktionsmittel, zurückgeht. Im Gegensatz zu individuellen Fertigungstechniken von Hand wird der Umfang industrieller Techniken bei der Verpackung, dem Marketing und dem Vertrieb materieller Güter noch zunehmen und hat auch schon zugenommen.

Es schickt sich für Künstler, die für die materielle Kultur oder für die Ästhetik und jene Haltungen, die materiellen Dingen gegenüber an den Tag gelegt werden, Verantwortung tragen, daß sie die Richtung, die der Gang unserer industriellen Produktivität nimmt, mitbestimmen. Das klingt nach einer kühnen Behauptung, doch aus einer anthropologischen Perspektive erweist sich diese Sichtweise als normativ. In jeder Gesellschaft beruht die Entscheidung über den Wert materieller Dinge, die Entscheidung darüber, welches Werkzeug man einsetzt und welches nicht, welche Betrachtungsweisen man übernimmt und welche nicht, welche Gegenstände man besitzen will und welche nicht, ja sogar welche Waffen man gebraucht und welche nicht, zuallererst auf ästhetischen Erwägungen. Sie beruht auf Formidealen und idealen Anschauungen, und auf Erwägungen darüber, wie man die Dinge im Raum idealerweise zu ordnen habe. All diese Prinzipien sind von Künstlern zum Zweck des ästhetischen Gebrauchs der Dinge entwickelt wurden.

In dem Maße, wie es heute entwickelte Industriegesellschaften gibt, die immer größere Mengen an Bildern, Botschaften und Produkten massenindustriell erzeugen

1994, Galerie Walcheturm, Zürich, 3 Lärchenholzbänke, je 240 x 60 x 42 cm, 44 Farbfotos von Züricher Stadtansichten, gerahmt, je 24 x 35 cm *(3 benches made of larchwood, each 240 x 60 x 42 cm, 44 color photographs of views of Zurich, framed, each 24 x 35 cm)*

können, muß es auch Künstler geben, die sich der Herausforderung gewachsen zeigen, der Massenproduktion die Richtung zu weisen und die Produkte zu formen. Wie man von diversen Ökologen und Soziologen weiß, besteht allergrößter Bedarf, den industriellen Moloch so zu steuern, daß er weder den Planeten zerstört noch die Gesellschaften unterminiert. Wir alle wissen, daß die adäquaten ökologischen und sozialen Technologien längst existieren oder leicht zu entwickeln sind. Wir wissen aber auch, daß Auswahl, Kombination und gesellschaftliche Eingliederung neuer Technologien (egal ob auf den Kapitalmärkten oder im Supermarkt) eine beängstigende Aufgabe darstellen.

Diese Aufgabe – die konzentrierte Anstrengung, die industriellen Kapazitäten in den Dienst der genuin persönlichen Bedürfnisse zu stellen – hat ein relativ bescheidener und leiser Künstler, Gerwald Rockenschaub, übernommen.

Dieser Künstler, der in einer relativ bescheidenen und leisen Stadt, in Wien, lebt, will kein Held sein. Er versucht sich nicht an heroischen Aufgaben. Aber er tut, was getan werden muß. Von den Konventionen, die man auf der Akademie eingeimpft bekommt, eher unbelastet (er brach das Studium nach der Hälfte ab), machte sich Gerwald Rockenschaub an die Aufgabe, das zu produzieren, was die Künstler in der turbulenten Mailänder Szene von 1975 (wie es das Magazin Kunst berichtet) als „Kunst" ausriefen: „die passende Antwort auf die einmal erkannte Lage".

Die „einmal erkannte Lage", wie sie für unsere Zeit relevant ist, behandelt Rockenschaub auf einer persönlichen Ebene. Wie sich die Lage darstellt, weiß jeder, der in unserer hochentwickelten Industriegesellschaft lebt, aus alltäglicher Erfahrung. Es geht um die Lage, die aufgrund einer hohen industriellen Produktivität entstanden ist.

Dazu zählen:

1) in einem beliebigen Innenraum alle Komponenten, die von industriellen Herstellern in Metall, Kunststoffen und Mischkomponenten ausgeführt werden können und die nicht von Hand gefertigt oder entworfen sein müssen;

2) in einem beliebigen urbanen Raum die visuellen und kinästhetischen Schlüsselerfahrungen, die man macht, wenn man die Strecke – zu Fuß oder im Fahrzeug – zwischen dem Gebäude, das man aufsucht, und einem zentralen Transportknoten, etwa dem Bahnhof, zurücklegt;

3) in einem beliebigen sozialen Raum, wo sich die Leute nicht aufgrund professioneller Interessen, sondern wie bei einer Party begegnen, sind die visuellen Schlüsselerfahrungen die Menschenmenge und die Lichter, und die stärksten akustischen und psychologischen Einflüsse gehen von der Auswahl an industriell aufgezeichneten Tonträgern beziehungsweise von Musikprodukten (auch wenn eine Live-Band spielt) aus;

4) die beim Betreten jedes beliebigen Gebäudes aufgeworfene prinzipielle Frage: Wie nimmt sich die Welt von diesem Gebäude aus betrachtet aus? (Und nicht etwa: Wie sieht das Gebäude von außen aus?) Man erinnere sich, daß, wenn man ein Gebäude betreten und mit dem Fahrstuhl in irgend jemandes Büro gefahren ist, die größte Neugier dem Ausblick gilt. Diese Neugier spiegelt sich wider in der Wertehierarchie, die bei der Vergabe von Büroräumen zum Tragen kommt: Je besser die Aussicht, vor allem, wenn es sich um einen Eckraum mit zwei Blickrichtungen handelt, desto wichtiger ist die Person, die hier arbeitet. Dasselbe gilt für Wohnhäuser: je besser der Blick, und je größer die Nähe zu gut-situierten Nachbarn, desto höher der Wert;

5) die für jedes Gebäude oder jeden Treffpunkt prinzipielle Frage, was oder wer sich drinnen aufhält. Ein schlüssiges Label (Worte, Fahnen oder Symbole) ist entscheidend;

6) die Erkenntnis, daß in jedem beliebigen Raum die Gegenwart von Menschen oder Tieren ab einer gewissen Größe von entscheidender Wichtigkeit ist. Der Raum ist entweder „aufgeladen" oder nicht, abhängig von den mit Wasser und Luft gefüllten Körpern, die sich in ihm befinden. Instinktiv reagieren wir mit Vorsicht auf oder handeln in Beziehung zu diesen gefüllten Körpern, beispielsweise Menschen.

7) die für jedes visuelle Feld, egal ob an der Wand oder im Wald, gültige Erfahrung, daß sich das Verständnis vertieft, wenn diesem Feld vergleichbare Bilder an die Seite gestellt werden. Hier offenbart sich das binokulare Wesen des Blicks, das ständige Hin- und Herwechseln zwischen links und rechts, das vor allem zur Registrierung von Veränderung und Bewegung (wie in unserer Frühzeit als Jäger) entscheidend ist.

So also stellt sich die „einmal erkannte Lage", die unser Leben bestimmt, dar. Sie spiegelt die alltäglichen Bewußtseinsströme und Aktivitäten von Gehirn und Auge. Mit unwesentlichen Unterschieden spiegelt diese »einmal erkannte Lage" das Leben aller Menschen in allen Gesellschaften wider. Überall stößt man auf ein relativ einheitliches Niveau in Hinblick auf den Umgang mit Werkzeugen und Konstruktionsverfahren. Wo immer man Menschen aufsucht, legt man eine Strecke zurück, vom Tor oder der Einfahrt zu einem bestimmten Gebäude. Wo immer viele Menschen miteinander verkehren, stößt man auf eine gemeinschaftsstiftende musikalische Praxis. Wann immer man eine Person in ihrem Zuhause besucht, hat man das Bedürfnis, von dort aus einen Blick auf die Umgebung zu werfen und den lokalen Kontext kennenzulernen. Und immer wird aufgrund unserer aufrechten Haltung und unseres auf einen zentralen Fluchtpunkt ausgerichteten lateralen Sehens ein Vergleichsprozeß im Gehirn ablaufen, bei dem Bedrohungen und Möglichkeiten aufgezeichnet werden. Gerwald Rockenschaub reagiert an den Schauplätzen der Industriegesellschaft, etwa in Westeuropa, auf diese universellen Bedingungen. Er wäre aber wahrscheinlich ebensogut in der Lage – mittels des modus operandi seiner Kunst –, in einem primitiven Dorf unter Jägern und Sammlern zurechtzukommen. Sein Ziel lautet schließlich nicht „Kunst zu machen", sondern die Aufmerksamkeit von Augen und Ohren zu schärfen. Von ihm kommen nur Gesten oder ortsbezogene Interventionen, die unsere Wahrnehmung für das, was ohnehin abläuft, sensibilisieren.

Einige Künstler arbeiten so, die meisten aber nicht. Sie denken, es sei ihre Aufgabe Kunst zu produzieren. Deshalb fertigen sie Gegenstände, die wie Kunstwerke aussehen und die deshalb auch nichts anderes als Kunstwerke sein können. Die Werke sagen nichts anderes, als: „Das ist ein Kunstobjekt." Und in der Regel fügen sie noch hinzu: „Das hat einen gewissen Wert auf dem Kulturmarkt, und möglicherweise auch auf dem Antiquitätenmarkt." Solche Werke sagen nichts über das, was sich Tag für Tag in unserem Bewußtsein, in unserer planetarischen Erfahrung, abspielt.

▲ **1996**, Galerie Susanna Kulli, St.Gallen, 2 aufblasbare Wände, je 250 x 300 x 20 cm, 1 aufblasbares Sofa, 50 x 200 x 70 cm, 2 aufblasbare Hocker, je 50 x 40 x 40 cm, jeweils aus farbloser, transparenter PVC-Folie *(2 inflatable walls, each 250 x 300 x 20 cm, 1 inflatable sofa, 50 x 200 x 70 cm, 2 inflatable stools, each 50 x 40 x 40 cm, each made of colorless, transparent PVC-foil)*

► **1997**, Galerie Mehdi Chouakri, Berlin, 2 aufblasbare Wände, je 220 x 450 x 35 cm, 1 aufblasbares Sofa, 50 x 200 x 200 cm, jeweils aus farbloser, transluzenter PVC-Folie *(2 inflatable walls, each 220 x 450 x 35 cm, 1 inflatable sofa, 50 x Durchmesser 200 cm, each made of colorless, translucent PVC-foil)*
◄ Installationsskizze der Ausstellung *(installation plan of the exhibition)*

Seit vielen Generationen, seit anderthalb Jahrhunderten – aber die Entwicklung wird noch weiter gehen, noch über das Jahr 2000 hinaus – machen wir die Erfahrung eines sich immer stärker beschleunigenden Industrialisierungsprozesses. Damit meine ich das, was in jeder Enzyklopädie oder jedem guten Lexikon beschrieben wird: der Übergang von der Handarbeit, immer eine Sache auf einmal, zum Fließband oder verwandten Produktionsweisen, bei denen große Mengen seriell verarbeitet werden. Mit jeder Stufe der Produktionsabläufe ist eine stets wiederholte, systematische Verrichtung verbunden. Genormte Komponenten werden in ein bereits gefertigtes Teil eingepaßt. Alles verdichtet sich zu einem steten Strom uniformer Waren. Roboter und computergestützte Design- und Fertigungstechniken erlauben der Fließbandproduktion eine größere Variationsbreite, d.h. unterschiedliche Maße oder Farben, sogar unterschiedliche Designstile, doch der grundlegende Vorgang – die Aufgabenteilung im Fertigungsverfahren, die Herstellung der Einzelelemente und ihre Zusammensetzung in standardisierten Schritten – bleibt derselbe. Die Schlüsselbegriffe hierzu lauten: „Produktionsleitung", „Operations Research", „Zeitablaufstudien", und „Stichprobenerhebung". Ziel ist, so viele Kopien oder Versionen eines Produkts herzustellen wie die Leute kaufen werden, egal ob deren Entscheidung individuell fällt oder über den Staat oder andere Institutionen oder Organisationen vermittelt wird. Darum geht es. Um nicht mehr und nicht weniger.

Um dieses Ziel zu erreichen, ist es notwendig, die Bedürfnisse der Leute oder der kollektiven Einheiten genau zu kennen. Oder zumindest zu wissen, was sie am besten verstehen und bedienen können. Immer mehr Aufgaben, die früher von Künstlern und Handwerkern ausgeführt wurden, die Bestimmung der Maße, des Materials sowie der Art und Weise der Zusammenstellung für die verschiedenen Gegenstände, gehen deshalb auf Ingenieure und Industriedesigner über. Die Aufgabe des Künstlers, fertige Produkte zum Vergnügen privater Käufer zu produzieren, hat immer weniger mit Handwerk zu tun, sondern wird zu einer Frage des Auswählens. Es geht weniger um „kreative" Produktion als um überlegte Plazierung. Das industrielle System inkorporiert eine immer größere Vielzahl an Entscheidungen, die bei der Herstellung ästhetischer, sinnhafter Bilder, Objekte oder Räume relevant sind. Der wache Künstler versucht also nicht mehr, irgendwelche Dinge anzufertigen, sondern er/sie hat die passenden Dinge, die im Auftrag hergestellt werden können, im Repertoire.

Diese Praxis konnte ich bei Rockenschaub entdecken, als ich täglich mit seinen Plexiglasscheibenbildern und Skulpturen zu tun hatte. Die Werke funktionierten, je nachdem, als Farbfeld zum Anschauen oder als stehende Struktur, die einen bestimmten Betrachterstandpunkt ermöglicht. Doch der gesamte Herstellungsprozeß war ausgelagert. Die meisten ästhetischen Entscheidungen waren von Rockenschaub schon getroffen, als er zur Plexiglasfabrik und in die Eisenhandlung ging, um die Endkomponenten der auszustellenden Werke auszusuchen und nach Auftrag zuschneiden zu lassen. Die Energie, die sonst in die Herstellung der Objekte oder Bilder von Objekten geflossen wäre, war jetzt darauf gerichtet, die industriell hergestellten Materialien zu bestimmen, die, nach der Schlußauswahl und der Zusammensetzung der Komponenten, häufig in bezug auf einen bestimmten Ort die gewünschte Wirkung erzielen sollten. Warum noch im Atelier arbeiten, wenn man die ganze Vielfalt industrieller Verfahren mit ihren Millionen Stunden ästhetischer und kinästhetischer Forschung und Entscheidungen zur Verfügung hat, um nahezu alles, was man braucht, im eigenen Auftrag anfertigen zu lassen?

Als „adäquate Antwort auf die einmal erkannte Lage", im Bewußtsein der Möglichkeiten computergestützter industrieller Mengen- und Maßanfertigung, tut man so wenig wie möglich selbst, um an einem bestimmten Ort die gewünschten optischen und sinnlichen Effekte zu erzielen. Man zieht es vor, das Industriesystem die Arbeit verrichten zu lassen. Und deshalb beginnt man das Industriesystem dazu zu bewegen, den Bedürfnissen der Endverbraucher, der Konsumenten, zu dienen, statt diese so tief in das System zu verstricken, daß sie ihm dienen müssen. Man beginnt Einfluß auf die Entscheidung zu nehmen, was massenproduziert wird und was nicht, aber auch auf die Entscheidung, was bis zu einem gewissen Grad massenproduziert wird, um dann am Ende maßgefertig zu werden. Man benutzt die gesamte industrielle Kapazität einer Gesellschaft als Palette.

Diese Kapazität offenbart sich auf dramatische Weise in der oberen Galerie der Secession. Der Künstler

► **1998**, Galerie Vera Munro, Hamburg, 16 aufblasbare Pölster aus farbiger PVC-Folie, je 70 x 110 x 110 cm *(16 inflatable pillows made of color PVC-foil, each 70 x 110 x 110 cm)*

hatte entdeckt, daß die Fenster der Galerie den Besuchern die Möglichkeit geben, einen Blick über die Straße zu werfen – zur Baustelle eines Ausstellungs- und Bürohauses, dessen Entwurf von einem namhaften Architekten stammt. Wie schon die Futuristen verkündet haben, bietet eine Stadt, in der mit Hilfe moderner Technologie gebaut wird, einen viel interessanteren Anblick als alle Gemälde im Museum. Und wie jeder an den Fußgängern beobachten kann, stimmt das. Leute, gewöhnliche Leute, die meisten Leute sehen sich gern an, wie Häuser gebaut werden. Warum also nicht in der oberen Galerie die Fenster öffnen, damit man bei frischer Luft einen Panoramablick auf die Baustelle werfen kann? Warum nicht einfach ein paar Stühle auftreiben, die so bequem sind, daß man gern lange darauf sitzt, und diese an das Fenster stellen, um den Leuten die Möglichkeit zu geben sich anzuschauen, was gerade in unmittelbarer Umgebung der Secession vor sich geht? Einige Kulturbeflissene beschwerten sich, daß Rockenschaub „nichts" gemacht habe. Warum sollte er auch? Er hat seine Aufgabe erfüllt, indem er den Besuchern die interessantesten Ereignisse an diesem Ort vor Augen führte.

Um zu entscheiden, ob Rockenschaub genug getan hat, indem er „nichts" tat, kön-

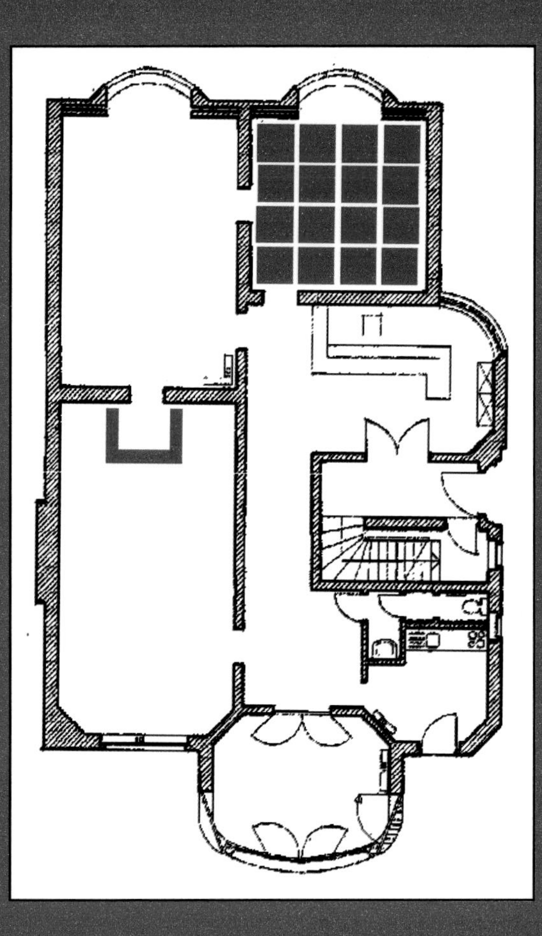

▲ **1998**, Installationsskizze der Ausstellung in der Galerie Vera Munro, Hamburg *(installation plan of the exhibition at Galerie Vera Munro, Hamburg)*
◄ **1998**, Galerie Vera Munro, Hamburg, aufblasbares Objekt, farblose, transluzente PVC-Folie, 210 x 150 x 220 cm *(inflatable object, colorless, translucent PVC-foil, 210 x 150 x 220 cm)*

nen wir eine Regel anwenden, die ich von Peter Nadin habe, einem Mitglied des informellen Vorgängers („The Offices of Fend, Fitzgibbon, Holzer, Nadin, Prince & Winters") meiner Vereinigung. Nadin meinte, der Maßstab für Kunst sei nicht in dem zu finden, wie sie gemacht oder ob sie überhaupt gemacht wird, sondern in dem, wie sie rezipiert wird. Darüber hinaus, meinte er, müssen wir uns fragen: Welche Wirkung – im Hinblick auf das soziale oder persönliche Verhalten, oder auf politische Handlungen – geht von der Arbeit aus? Unser Kollege Richard Prince äußerte sich in ganz ähnlicher Weise. Und eine weitere treibende Kraft in den Offices, Jenny Holzer, hatte zweifellos ein ähnliches Anliegen. Sie wollte, daß die Arbeit, egal was wir machten, auch tatsächlich die gewünschte Wirkung erzielte und ein soziales oder institutionelles Gebaren veränderte. Es ist ganz unwichtig zu

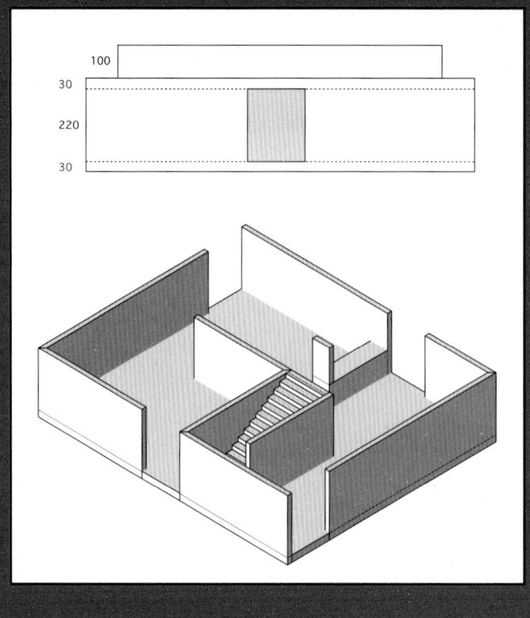

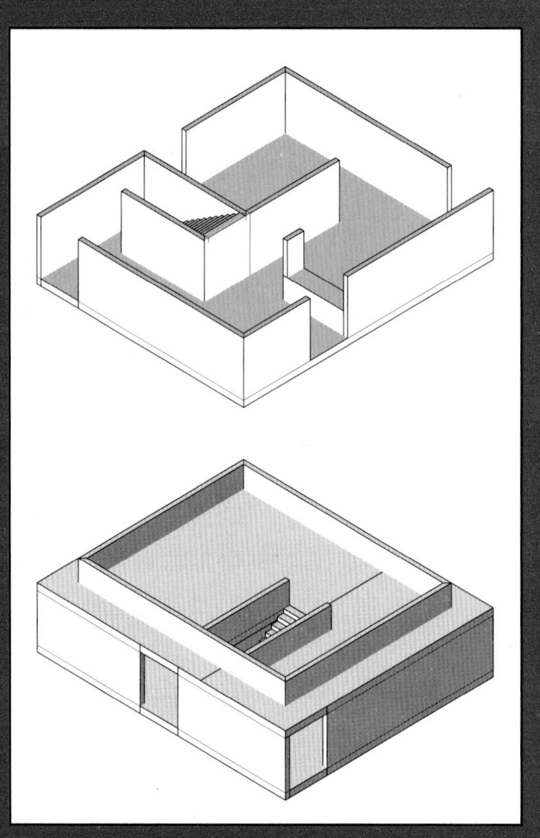

◄ **1998**, „Lifestyle", Kunsthaus Bregenz, Objektskizzen für die Basisinstallation des Projekts von John Armleder, Sylvie Fleury, Muntean/ Rosenblum, G. Rockenschaub nach einer Idee von Muntean/Rosenblum *(sketches for the basic installation of the project of John Armleder, Sylvie Fleury, Muntean/ Rosenblum, G. Rockenschaub after an idea by Muntean/ Rosenblum)*

► **1998**, „Lifestyle", Kunsthaus Bregenz, Basisinstallation des Projekts von John Armleder, Sylvie Fleury, Muntean/ Rosenblum, G. Rockenschaub, Holz, bemalt, 3,8 x 12 x 10 m *(basic installation of the project of John Armleder, Sylvie Fleury, Muntean/Rosenblum, G. Rockenschaub, painted wood, 3.8 x 12 x 10 m)* *fragen: „Ist das Kunst?“ Stattdessen muß man fragen: „Wäre ich mit dieser Situation konfrontiert, beispielsweise mit diesen Stühlen vor dem Fenster, von dem aus man auf die Baustelle eines architektonisch bemerkenswerten Gebäudes blicken kann, welche Wirkung hätte das auf mein Verhalten, auf meine Haltung dem Gebäude gegenüber, und auch auf meine Haltung in bezug auf meine aktuelle Erfahrung hier in der Secession?“ Die Wirkung auf unseren Blick, auf unsere Vorstellungen hinsichtlich der Funktion der Secession und des kulturellen Klimas in Wien kann weitreichend sein.*

Wo immer es möglich ist, setzt Rockenschaub die einfachsten technischen Mittel ein. Diese Mittel sind praktisch allen zugänglich; sie entstammen der Massenfertigung und dienen dazu, möglichst viele Leute zufriedenzustellen. Rockenschaub setzt sie ein, um die von ihm gewünschten Veränderungen in der Haltung der Betrachter seiner Arbeiten hervorzurufen. Leute, die sich bei der Biennale in Venedig 1993 den österreichischen Pavillon anschauen wollten, wurden dazu angehalten – mittels der Installation eines Baugerüsts –, viele Stufen hinaufzusteigen und sich die Umgebung und sogar den Grundriß des Gebäudes anzuschauen. Das Gerüst, wie alle Technik, die Rockenschaub benutzt, war ein ganz gewöhnliches Standardmodell. Die Wirkung auf die Betrachter aber war erstaunlich. Warum, mochten sie sich fragen, wurde von ihnen erwartet, viele temporär installierte Metallstufen

hinauf- und wieder hinunterzusteigen, um sowohl die Umgebung des Pavillons als auch den Pavillon selbst von oben zu betrachten? Allein diese Frage zu stellen, schafft die Voraussetzungen für dauerhafte Wirkungen.

Diese Wirkungen, diese kunsthistorischen und zivilisatorischen Konsequenzen, werden deutlich, wenn man sich die Projekte Rockenschaubs in ihrer Entwicklung vor Augen führt. So wie in der Fabrik mit Fließbändern sehen wir bei Rockenschaub eine zunehmende Bündelung visueller Komponenten, von denen jede einzelne ein einfaches Massenprodukt sein könnte, die aber in Verbindung und Kombination miteinander immer umfangreichere und komplexere Konstruktionen ergeben. All die produzierten oder eher durch eine Fabrik im Auftrag hergestellten Werke lassen sich in scheinbar endloser Variation kombinieren und verknüpfen. Am deutlichsten zeigt sich dieser Prozeß bei Rockenschaubs Großplakaten für Austrian Airlines. Nachdem er realisiert hatte, daß die Plakate in standardisierter Größe faktisch Mosaike darstellen, sich aus vielen kleinen Plakaten zusammensetzen, und nachdem klar war, daß sich diese kleinen Plakate in jeder beliebigen Anordnung affichieren lassen, erteilte Rockenschaub den Auftrag für acht verschiedene, jeweils einfarbige Plakate. Die ließ er dann auf den Plakatwänden in unterschiedlicher Ordnung anbringen. Das Ergebnis waren verschiedenfarbige Mosaike, die sofort ins Auge sprangen und von denen keines dem anderen glich. Die gleichen Regeln für verschiedene Arrangements, die jeweils unterschiedliche ästhetische Rezeptionen auslösen, gelten auch für die zehn verschiedenen aufgeblasenen Kuben aus durchsichtigem Plastik in der Galerie Hauser & Wirth in Zürich. Nicht alle Kuben müssen gleichzeitig gezeigt werden. Vielleicht sieht man nur zwei oder drei. Jeder Sammler kann selbst über das Arrangement und die Anzahl der leichtgewichtigen Bausteine entscheiden.

Diese Praxis erstreckt sich auf das gesamte Œuvre. Als mir Rockenschaub seine im Moment entstehenden Zeichnungs- und Malereiprojekte am Bildschirm zeigte – hier wurde nichts von Hand gemacht, jedes Ausgangsbild war sehr einfach gehalten –, konnte ich eine Strategie erkennen, die sich leicht auf dem Computer ausführen ließ. Diese einfachen Bilder wurden zusammen mit anderen gleichfalls einfachen Farbfeldern kombiniert, übereinandergelegt, umformatiert und anderweitig zusammengesetzt, sodaß eine endlos permutierbare Reihe von Bildern entstand. Einige Zeichnungen sind linear, andere farbig, manche sind generierte Landschaften oder Architekturperspektiven. Bis zu diesem Besuch bei Rockenschaub war ich lange der Ansicht gewesen, daß Kunstwerke entweder Zeichnungen (zwei Faktoren) sind, Malerei (drei Faktoren, einschließlich Farbe), Skulptur (vier Faktoren, einschließlich Höhe) oder Architektur (fünf Faktoren, einschließlich Zeit oder Bewegung im Raum). Die Entweder-Oder-Paradigmen verflüchtigten sich bald zu einer Reihe von Sowohl-als-auch-Feststellungen. Man konnte eine Zeichnung auf dem Computer mit Malerei kombinieren und sie dann wieder zu einem architektonischen Grundriß in Beziehung setzen. Jedes Werk, das sich einer anderen visuell-räumlichen Organisation

► **1998**, „Submit", Bricks & Kicks, Wien, Konzept und Basisinstallation: Muntean/Rosenblum, Rockenschaub, Holz, Polyester, lackiert, Periskop, 1,2 x Durchmesser 3 m; Zeichnungen diverser Künstler wurden im Inneren des Objekts angebracht und konnten mittels des Periskops betrachtet werden.

(concept and basic installation by Muntean/Rosenblum, Rockenschaub, wood, polyester, painted, periscope, 1.2 x diameter 3 m; drawings by various artists were displayed inside the object and could be viewed via the periscope.)

verdankt, ließ sich kombinieren und zu einer multiplen Arbeit, einem komplexen System verbinden. Jedes Bild auf dem Computerbildschirm wird zu einem Baustein, der darauf wartet, Teil eines komplexeren Gefüges zu werden. Die Arbeit machen die Maschinen. Das heißt auch, daß bei einem passenden Programm die gesamte Arbeit von Maschinen verrichtet und variiert werden kann. Wir sind Zeugen bei der Errichtung einer Fabrik zur Konstruktion von Kunst. Diese Fabrik ist nicht Warhols Factory mit ihren Handwerkern, nicht Serras Schmiede von Unikaten, nicht Muchas Fabrik zur Herstellung von Strukturen, die den maschinell her-

◄ **1998**, Felsenvilla, Baden, Aussichtsplattform, Standardregalelemente *(look-out platform, standard shelf elements)*

gestellten fast genau entsprechen, sondern ein digitales Fließband, das mit computergestützter Handarbeit kombinierbar ist, sodaß der Produktion von Bildern, Objekten und Architekturkomponenten keine Grenzen gesetzt sind, je nachdem wie weit Rockenschaub gehen will und wieviel Kapital er aufbringen kann.

An diesem Projekt ist nichts Grandioses. In der Musikindustrie läuft es genau so ab. Auch die fabriksmäßige Herstellung entwickelt sich immer stärker in diese Richtung, mit Fließbändern zum Bau von Laptops, die austauschbar sind mit CAD-CAM Ausführungen, anstelle von Flüssigzellsystemen. Auch in der Architektur und beim Bauen könnte es in diese Richtung gehen, vor allem bei Maßbauteilen, die je nach Computerinput abgewandelt werden könnten. Wo man von alledem aber mehr oder weniger nichts findet, das ist die bildende Kunst – abgesehen von der allerdings nur mit beschränktem End-use operierenden Film- und Animationsindustrie. Die Gründe, warum in der Kunst nichts derartiges passiert, sind nicht technischer Art, nicht einmal ökonomischer Art, sondern haben mit Wahrnehmungsgewohnheiten zu tun. Die Leute denken immer noch, Kunst sei eine Elitepraxis, in der sich Hochkultur und abgehobenes Denken manifestieren. Musik dagegen wird massenhaft vertrieben und massiv verändert und auch als Endprodukt manipuliert – bei einer anderen Praxis, die Rockenschaub in hohem Maße ausgebildet hat: DJ-ing. Doch Kunst, Qualitätskunst, experimentelle und erfinderische Kunst, die Kunst, die in den Kreisen, die auch Rockenschaub frequentiert, eine Rolle spielt, wird weder massenhaft vertrieben noch in ihrem End-use massiv manipuliert, kombiniert und gemischt. Stattdessen ist die Kunstwelt darauf bedacht, jeden Künstler isoliert zu halten, das Werk genauestens zu archivieren, es umfassend zu analysieren und zu interpretieren – und ihn oder sie schließlich zu erledigen: eine weitere Biographie mit ein paar hübschen Objekten, die aufbewahrt werden und in katalogisierter Einsamkeit vor sich hindämmern. Kunst ist eine relativ totgeborene Profession. Sie bringt viele Ideen hervor, vieles wird deutlich, aber nichts davon bleibt haften im allgemeinen Bewußtsein oder innerhalb der Alltagsarchitektur. Walter de Maria realisiert ein Lightning Field, noch ein paar Projekte, dann nichts mehr – und wird heiliggesprochen von der Heiner Friedrich-Kirche und Dia. Joseph Beuys wollte etwas mit der Sozialskulptur bewirken, doch was letztlich herauskam, das sind gigantische Installationen mit massenhaft produziertem Filz oder Fett, aber ohne öffentliche Wirkung. Gordon Matta-Clark träumte davon, die Pläne der russischen Konstruktivisten für Dächer und Strukturen, die von Ballonen gehalten werden, umzusetzen, doch weder seine Entwürfe noch die der Konstruktivisten wurden je auch nur annähernd realisiert. Als Quelle für Bausteine wird die Kunst von niemandem ernst genommen. Blättert man regelmäßig das Feuilleton durch, dann denkt man, die Kunst würde nichts anderes als eine Schar von bald toten Heiligen hervorbringen. Der ganze Heroismus besteht darin, 15 Minuten lang in einigen kunsthistorischen und exklusiven Zirkeln berühmt zu sein, doch keinerlei Wirkung überträgt sich auf das, wovon Kunst eigentlich handelt: auf die materielle Kultur, auf die Werkzeuge und Wahrnehmungen und Mittel zur Produktion von Dingen für die Gesellschaft. Einfach ausgedrückt, werden sich die Mächtigen und Wohlhabenden – zumindest heutzutage – für eine solche Praxis nicht stark machen.

Sie dulden das Sammeln neuer Kunstwerke, die sich über Nacht in antiquiertes Zeug verwandeln, in Artefakte oder Relikte von höchstem Wert, sofern sie nicht verwendet werden. Doch sie können sich nicht vorstellen, wie irgendeines dieser neuen Kunstwerke eine neue Architektur, neue Medien, eine neue Industriepolitik oder eine neue Massenkultur hervorbringen könnte. Dabei hat es das schon gegeben, zuletzt im Italien der Renaissance und im Frankreich des 17. Jahrhunderts. Nur in den letzten Jahrhunderten erfolgte keine solche „Antwort auf die einmal erkannte Lage“: Der Industrialisierung mit ihren austauschbaren

Komponenten, Abfolgen von Produktionsschritten, ihrer Adaptierung der Entwürfe an ein Varietétheater der Märkte – all dem blieb die Kunst die Antwort schuldig.

Rockenschaub kann das, wofür er sich einsetzt, nicht allein vollbringen. Das mag erklären, warum er sich entschieden hat, bei seiner Biennalebeteiligung noch zwei andere Künstler, die nicht aus Österreich kommen, im österreichischen Pavillon mitauszustellen. Zusammen konnten sie die Plattform verbreitern. Es mag auch erklären, warum er soviel Zeit und Energie darauf verwendet, sich ein großes Publikum in den Techno-, Rave- und Popmusikwelten heranzubilden. Hier ist ein Kundenkreis zu finden, ein potentieller Massenmarkt für die Kunst, der für die Massenfertigung und Massenpermutation der vielen Bausteine, die sich in seinem Computer und seinem Archiv von Websites befinden, aufkommen kann. Rockenschaub hat viele Freunde außerhalb der gegenwärtigen Kunstwelt: Wird er ihnen seine Bausteine liefern?

Doch Rockenschaub ist nicht der einzige, der sich am Phänomen industrieller Kapazitäten abarbeitet. Auch Sylvie Fleury staunt über die visuelle Ästhetik und die massenproduzierten Images der Modeindustrie, die sich vor allem auf den Umschlägen der Magazine zeigen (staunt sie auch angesichts der Venus von Willendorf?). Sie steht im Bann von Konsumgütern wie Lippenstifte, Schuhe und Autos. Reinhard Mucha, fasziniert vom Muskel und der systemischen Serialität der Industrie, schwelgt in der maschinellen – nicht handwerklichen – Produktion von Werken, die mehr nach Fließband als nach Atelier aussehen. Thomas Locher erzielt das gleiche fabrizierte Aussehen, doch er übersetzt es mehr in Kontexte, die durch gewisse konstitutionelle, linguistische Regeln bestimmt werden. Ein solches Aufstellen von Regeln bildet vielleicht die Grundlage für eine industrielle Revolution, die immer noch in Gang ist. Ein abstraktes und universelles Regelwerk, ein Register gemeinsamer Nenner, ist die Voraussetzung sowohl für Spezialisierungen als auch für die Koordination aller Menschen innerhalb eines hochkomplexen Systems austauschbarer Komponentenproduktion, das über die Märkte den individuellen Bedürfnissen zu entsprechen sucht. Auch Peter Zimmermann produziert maschinell hergestellte Objekte – als Werbe-, Ausstellungs- und Verpackungselemente –, die den Prozeß der Formung individueller Bedürfnisse parodieren. Und dann sind da noch New Yorker wie ich selbst und Wolfgang Staehle, die seit 1976 in ähnlicher Weise vorgehen und die sich darauf konzentrieren, direkt mit Ingenieuren und Wissenschaftlern zusammenzuarbeiten, um neue industrielle Systeme für die Gewinnung primärer Ressourcen (Fend) und den Vertrieb von Informationen (Staehle) zu errichten. Eine allgemeine Maxime ließe sich darauf anwenden. Sie stammt von Jenny Holzer, die oft mit uns zusammengearbeitet hat, und taucht auf der Titelseite der Kunst-Arbeit *auf: „GREIF DIR DAS DOMINANTE AN EINER KULTUR HERAUS UND WANDLE ES SCHNELLSTENS UM."*

Und wie jeder erkennt, der sich die Liste der 500 Top-Unternehmen dieser Welt vornimmt, ist das Dominante die Industrie. Die Implikationen der Bausteinpraktiken von Rockenschaub reichen weiter als das, was die meisten der oben erwähnten Künstler tun. Zunächst einmal scheint er nie auf diesen vorindustriellen Zustand, der für Künstler so bezeichnend ist, zurückzufallen, darauf, „Handwerk zu betreiben". Soviel ich weiß, wird er nicht einmal eine Zeichnung per Hand anfertigen, außer als kleine, schnell vergessene Skizze. Alles ist maschinell hergestellt und entspricht den Standards. Kein Unikat findet sich, keine persönliche Handschrift zeigt sich an Entwurf oder Ausführung. Die luftgefüllten Kuben oder die gerippten, luftgefüllten Farbkissen, die wie dicke Malschichten wirken, die Zeichen, die ihren Ort markieren, oder die Trenn- und Schiebewände, könnten nach Angaben von jedem Hersteller derartiger Endprodukte und für jedermann als Objekte oder Architekturkomponenten oder Möbel gefertigt werden. Sogar die Fotos und Videobänder, die Reales dokumentieren oder Gesehenes aufblasen, sind einfach interessante Ausschnitte aus der Wirklichkeit. Jeder könnte sie gemacht haben, nicht als Kunst, sondern als Vergrößerung irgendeines auffallenden Phänomens. Rockenschaub befaßt sich mit den größten gemeinsamen Nennern von Wahrnehmung und Produktion, Nenner, die Teil der massenhaft vertriebenen, lauten Industrieästhetik sind. Bislang hat Rockenschaub den industriellen Prozeß nur nachgeahmt. Eine entscheidende Frage drängt sich auf: Geht er noch weiter?

Bislang haben Künstler meist die Ansicht vertreten, sie seien Handwerker und ihre Arbeit müsse das auch ausweisen. Doch mit der Industrialisierung beginnt eine historische Lücke zu klaffen: Ist das Werk seine eigene Sorte, mit Händen und Werkzeugen ausgeführt (ein Großteil der Videokunst und digitalen Kunst ist hier mitgemeint), oder ist es mit wissenschaftlicher Präzision im Rahmen industrieller Fertigungsprozesse hergestellt? Ein charakteristisches Moment von Industrietechniken, dem Lexikon zufolge, ist die Aufgabe, Rohmaterialien in Endprodukte umzuwandeln. Das geschieht mittels vorher geeichter Maschinen, die in präzisen Schritten arbeiten und dabei unterschiedliche Grade von Gleichheit und Änderungen, über die Zeit verteilt, ermöglichen – also genau das Gegenteil von „Handwerk". Bruce Nauman, Joseph Beuys, sogar Richard Serra und Nam June Paik haben als Handwerker mit Werkzeugen gearbeitet. Keines ihrer Werke läßt sich ohne weiteres reproduzieren. Keines läßt sich neu anfertigen, zumindest nicht dem Konzept nach, durch eine autonome und vielleicht robotisierte Anlage. Das läßt die Arbeit vieler Künstler heutzutage funktionell archaisch erscheinen. Sie gestatten kaum Hinweise darauf, wie wir unsere materiellen und ökonomischen Angelegenheiten regeln sollen. Nicht einmal, wie wir unsere physischen Räume, etwa die Architektur, bauen und organisieren sollen. Doch die Gruppe der Künstler, die ich erwähnt habe, beispielsweise Mucha, Locher und Rockenschaub, beziehen einen neuen Standpunkt gegenüber den Kapazitäten der industriellen Massenfertigung. Ihre Anstrengung ist nicht darauf gerichtet, weiterhin ein Handwerk auszuüben und eine individuelle Geschicklichkeit oder Sensibilität an den Tag zu legen, sondern zu programmieren, zu organisieren, auszustellen oder zu arrangieren, was technisch massenproduzierbare Objekte sein könnten (und häufig sind). Man könnte diese als „Kognitions"-Objekte bezeichnen, denn sie bieten sich an für Kognitionsübungen ebenso wie für Übungen zur besseren Koordination von Auge und Gehirn. Nicht wirklich „Kunst", sondern eher mentales Training, das ähnlich wie Technomusik funktioniert, also von morgens bis abends für eine bestimmte geistige Spannung sorgt.

Rockenschaub ragt heraus aus diesen Künstlern. Obwohl er sich nicht persönlich für die Massenproduktion eines seiner Werke entscheidet, gibt es bei ihm eine solche Ästhetik und Chance zum End-use. Und weil Rockenschaub nicht nur über die heute übliche industrielle Kapazität in puncto Variabilität und Modifikation, sondern auch sogar über computerisierte CAD- und CAM-Anwendungen verfügt, legt er das Fundament – legt er das Verfahren fest – für ein „ästhetisches Management", zumindest in den Domänen, die er für sich beansprucht. Die Künstler können damit beginnen, den ungeheuren Umfang der industriellen Produktivität selbst zu nutzen, um die Parameter für das zu setzen, was in der häuslichen Umgebung, in der Stadt, auf dem Land, in der Welt um uns herum richtig ist. Sie könnten sogar zu „Industriekapitänen" werden, die der Öffentlichkeit dazu raten, die eine Technologie der anderen vorzuziehen, ein Produktionsmittel über ein anderes, das ästhetisch weniger gelungen ist, zu stellen, ein Energiesystem gegenüber einem anderen zu bevorzugen – alles mit dem Mandat, das Künstler einst hatten, wenn es darum ging, die ästhetischen und materiellen Richtlinien einer Gesellschaft festzulegen. Sie haben das getan, seit sie die ersten Bilder auf Höhlenwände malten, so daß alle erkennen konnten, wie man jagt und Nahrung findet, tanzt und sich vergnügt.

Jetzt sind wir also bei den Ursprüngen der Kunst angekommen, im vor-agrikulturellen und natürlich vor-industriellen Zeitalter, und können das Konzept des Soziologen von einer „postindustriellen Gesellschaft" etwas modifizieren. Mit dem Ausdruck ist das Entstehen einer professionellen und technischen Schicht beschrieben, die frei ist von industrieller Tätigkeit, Technik, Operations Research oder den in die praktischen Abläufe involvierten Managementaufgaben – und die stattdessen in neuer Weise mit industriellem Output umgeht. Ein besseres Präfix als „post" wäre vielleicht „meta". Das Industriesystem, das sich ständig ausbreitet, gibt den Leuten Gelegenheit, auf Abstand zu gehen und mit ihm zu spielen wie mit Platten auf dem Plattenteller.

(Übersetzung: Roger M. Buergel)

▲ **1989**, weißes Acrylglas, Messingbeschläge, 85 x 85 x 0,6 cm *(white acrylic glass, brass fittings, 85 x 85 x 0.6 cm)*

Joshua Decter

event@rockenschaub.com/inflect/social mappings/

"Architecture can no longer be bound by the static conditions of space and place, here and there. In a mediated world, there are no longer places in the sense that we once knew them. Architecture must now address the problem of the event."
Peter Eisenman

Recollection: in 1996, I invited Gerwald Rockenschaub to participate in an exhibition, entitled "a/drift." As the show endeavored to address the complex symbolic and material drift-relations between youth subculture, visual art language, and the artifacts of popular culture, it seemed perfectly natural to ask Rockenschaub to produce an event on the occasion of the opening: i.e., to function as a DJ, and to establish the conditions for a dance party.

I did not request an "artwork" from Rockenschaub, per se. Rather, I requested his presence as a specialist from another (sub)cultural field/specialization. He (and two DJ collaborators) were present to inflect the opening with offerings of electronic, post-techno, trance and other types of music. Their operational model set the stage for a social event, operating both within—and beyond—the frame of the exhibition.

Rockenschaub has maintained a dual-track for his cultural production, engaging simultaneously in the international circuit of DJ activity and music production, while continuing to participate in the art system. Although these modes of cultural operation are relatively distinct & autonomous, it is also apparent that Rockenschaub's deployment of visual art language and music language may have significant points of conceptual intersection: particularly in relation to notions of what constitutes an event, and how we understand the construction of "the social," and social space.

{There are events which occur at the border of distinct social or cultural experiences, language-codes, expectations, desires, projections. The space occupied and/or created by this so-called border is, of course, elastic; and the "event" is nothing more than the specific articulation that attempts to translate what happens at the border into something which is both conceptual and material.}

It is perhaps true that most people who attended the "a/drift" opening did not understand that Rockenschaub was actually a participant in the exhibition; many undoubtedly assumed that he was the hired entertainment. Which he was, in the sense that a particular service was provided. Rockenschaub inscribed his presence through a certain kind of club-culture performance, and it also marked an autonomous territory relative to the exhibition's normative institutional parameters. In this situation,

Rockenschaub's position was deliberately and wonderfully slippery: as catalyst of the reception party, he was an outsider who has actually an insider, an insider who may have been perceived as an outsider. Or, perhaps more simply, a cultural producer, carefully negotiating through a range of seemingly contradictory roles and definitions.

To a certain extent, Rockenschaub compels us to re-think the general ethos of cultural specialization that continues to haunt nearly every aspect of our lives. But,

unlike certain artists who have endeavored to "re-distribute" the conceptual and material processes of artmaking into what is perceived as the territory of social everydayness (everydayness, by which I mean the intrinsic interface of art activity and life activity that becomes ritualized through conscious cultural practices as yet another dimension of daily social existence), Rockenschaub does not seem to be invested in producing art with a "post-aesthetic aesthetic." Rather, Rockenschaub's art language is a highly refined synthesis of architectonics, industrial design, painting, and object-based production that gain coherence through a consummate precision of conceptual-into-formal execution.

Rockenschaub continues to reinforce distinctions between art practice and music-based activities, and has selected not to blur (or collapse) these real & symbolic cultural-aesthetic boundaries. An interplay between language-forms is set into motion, yet one activity does not necessarily "complete" the meaning-production of the other activity.

◄ ▲ **1989**, Galerie Paul Maenz, Köln, 36 farblose, transparente Acrylglasplatten, je 100 x 103 x 1 cm, Metallschrauben, Beilagscheiben *(36 colorless, transparent acrylic glass plates, each 100 x 103 x 1 cm, metal screws, washers)*

Inflection is a camouflaged act of intervention. To inflect is to mark a social or spatial territory that has been (already) rationalized.

Rockenschaub inflects spaces, locations, structures.

To inflect is to de-territorialize, and to re-territorialize, without declaring war on the context. It requires a necessary amount of subterfuge, and ironic play.

To inflect is also to deflect a set of assumptions about the spatial, social, cultural operations of a situation, a place.

To inflect is to re-map a place, in relation to the intrinsic logic of that place. It is an act that produces a shift in the perception of a situation.

{Understood historically in relation to institutional-based practices, Michael Asher inflected, whereas Hans Haacke intervened.}

To inflect, to subtly re-map, is to enable a certain kind of cognitive event. An event of cognitive and perceptual modification. To invoke the language of phenomenology, an event that unfolds at the intersection points between viewer and context, triggered by a structural inflection, and deflection.

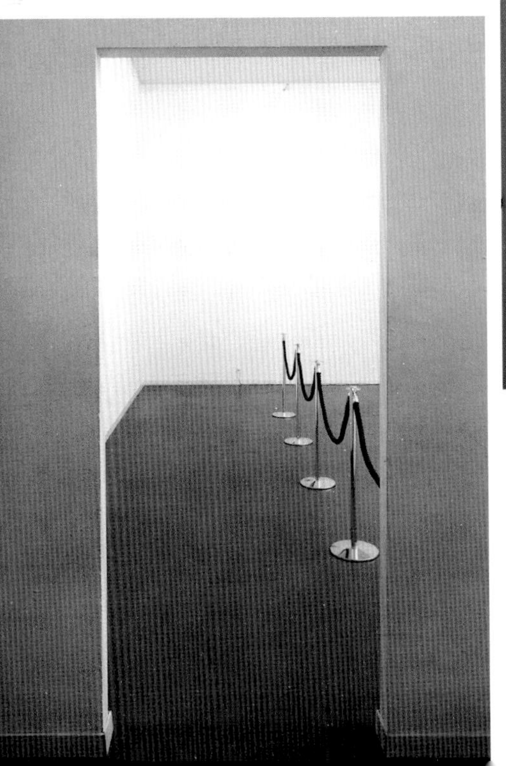

◄ **1991**, Kunstmuseum Luzern, 4 Baumwollkordeln, je 1,5 m, 5 Steher aus Aluminium *(4 cotton cords, each 1.5 m, 5 aluminium stands)*
▲ **1991**, Kunstmuseum Luzern, Trennvorhang aus Klarsichtfolie, 4,24 x 34,5 m *(dividing curtainmade of cellophane, 4.24 x 34.5 m)*

Take, for example, Rockenschaub's "36 acrylic glass plates," produced on the occasion of his 1989 exhibition at Galerie Paul Maenz in Cologne. A straightforward yet visually ephemeral gesture: overlay the gallery's walls with transparent synthetic sheets. An apparently simple gesture, revealing naked walls—just the screws and washers visible as the structural means of attachment. The whiteness of the gallery architecture, re-coded as a surface event.

From one perspective, "36 acrylic glass plates" is an ironic variation on the (theoretical) death-throes of post-geometric painting, wherein the empty cultural sign

of painting is converted into something hybrid: at once pictorial and non-pictorial, physical yet seemingly immaterial. The "pictorialization" of architecture, the "architecturing" of the pictorial frame. The frame-as-frame, the frame-as-picture, the picture becoming the frame.

Architecture, non-architecture, post-architectural, sculptural, not-sculptural, a form of drawing in space. Transparently presently, an absence that unfolds the structural actuality of the context.

An inflection of the social space—a re-surfacing of the architectural container, at once a gesture of contextual mirroring and non-mirroring. A barely discernible attitude towards the fact of place: matter-of-fact, a synthetic gesture, at once referential and self-referential.

Rockenschaub's "Dividing curtain made of cellophane," produced for his 1991 exhibition at the Kunstmuseum Lucerne, continues the process of examining the predetermined structural conditions of a place, and then subtly inflecting—or re-coding—the architecture. The curtain, in this instance, overlays a long museum wall, as if it were a plastic dress or some other article of clothing. In the process, a doorway leading through the wall has been "blocked," in the sense that visitors can no longer move through the door-opening. But they can see through it, into the next space. Tantalizing.

The transparent curtain quietly disrupts the normative movement throughout the museum, while also calling attention to the artificiality of the architectural design. This is a form of theater—the theatricality of re-programming space, without the applied utility of a program.

Bernard Tschumi, the architect and urban theorist, has generated the notion of architectural "cross-dressing," which may facilitate processes of architectural "cross-programming": the trans-formation of a predetermined space and/or architectural condition through the injection of an anomaly, a minimal or radical trans-mutation in social-urban space.

▲ **1991**, EA-Generali Foundation, Wien, verschiebbare Trennwände *(retractable dividing walls)*

In Rockenschaub's 1991 project for the EA-Generali Foundation in Vienna, the artist provided the audience with an opportunity to transform the architectural conditions of the space (and/or, the spatial conditions of the architecture): he exposed white "retractable dividing walls" from behind a door, revealing these structural elements which were usually hidden from view. This simple gesture of unpacking, so to speak, the room's infrastructure created the possibility for the viewers themselves to inflect and re-code the boundaries of the social space. Here, the site provided its own means of architectural re-definition, and the audience was invited to participate, albeit indirectly, in the manipulation of an aesthetic frame-work.

That same year, at Galerie Metropol in Vienna, Rockenschaub inserted a new element into the architectural situation: the installation of a cordon that functioned as a device to map-out the boundaries of a section of empty room. Here, the intrinsic architecture and social space of the gallery is re-framed, a new boundary is established, and the meaning of the gesture is contained within the perception of the territorial boundary itself. A room inside of a space, a space inside of a room, the location as aesthetic frame-work, as event waiting to unfold. An invented boundary, a real consequence, a situation re-defined. A symbolic, yet physical, cut in space.

Mapping is the science of making cuts into space in order to delineate frames and boundaries that, in turn, produce the model of a territory: mapping is a means of rationalizing space in relation to a "subjective" experience of that same space. The map is a pictorial field designed to communicate the schematic contours of a specific territory; the physical and non-physical attributes of that territory (i.e., rationalized space) are expressed, metaphorically, through the model of a map. What is the narrative expressed by way of a map? Is it, perhaps, the neutral narrative of mapping itself? Perhaps it is tenable to suggest that lived architectural/geographic space is as much an abstraction of a map as a map is an abstraction of lived space: each articulates the others' territorial horizons, or parameters.

A viewing platform.
A platform for viewing.
Viewing a platform.

Rockenschaub's "Scaffolding" installation at the Villa Arson in 1992 can be understood as a heavy-metal inflection of a modernist space. Viewers can walk-up a stair-like element on one side of the scaffold, transverse the length of the scaffold (which bisects the width of the gallery), overlook & contemplate the empty gallery space, and then return to ground-level via the other stair-like element. Nothing really happens, other than a modified experience of the situation. It is almost like an ambient event. Meaning is self-referential to the individual, and the individual's relationship to place. Utilizing an "everyday" pre-fab structure that signifies construction (i.e., construction-as-process) Rockenschaub here effectively re-frames the context as a situation-in-progress. Nothing is literally under-construction, except our relationship to place. This is not architecture per se, but rather a connotation of an architectural condition.

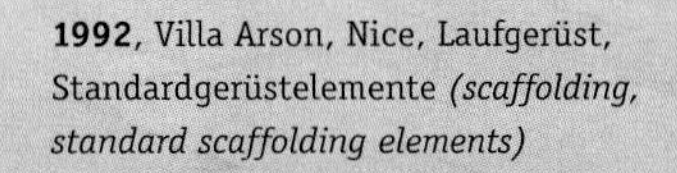

1992, Villa Arson, Nice, Laufgerüst, Standardgerüstelemente *(scaffolding, standard scaffolding elements)*

▲ **1992**, Elizabeth Koury Gallery, New York, 2 Bänke, Metallrahmen schwarz lackiert, Sitzfläche aus rotem Kunstleder, je 213 x 61 x 43 cm *(2 benches, metal frame painted black, red imitation leather seats, each 213 x 61 x 43 cm)*

The idea of scaffolding was taken to an even more elaborate level in the artist's contribution to the 45th Biennale of Venice in 1993. In that situation, Rockenschaub designed an elaborate catwalk that mapped-out the spatial and architectural coordinates of the pavilion's interior space—facilitating the visitor's walking-movement from ground-level to window-level, and other in-between elevations. This alternately aggressive and delicate re-coding of context/space functioned to establish a certain kind of theatricality: the scaffold structure as a device which "re-stages" the visitor's relationship to place. The scaffold structure awaits an event that is about to unfold—the presence of bodies traversing space within an architectural frame.

{Look out the window, walk in through the door: these are the structural components and perceptual habits that we return to again and again within built space so as to produce—or simply reinforce—distinctions between one place and another. The two twin terms of entry and exit—or, for that matter, arrival and departure—constitute opposite sides of the same linguistic coin, so to speak; they are linked by inter-dependent utilitarian values, and they establish an agreed-upon means of identifying supposed boundaries separating the experience/idea of "inside" and "outside."}

In 1992, at the Elizabeth Koury Gallery in New York, Rockenschaub installed two black metal frame, red imitation leather seats in front of the gallery windows. Nothing more, nothing less. A room with a view, so to speak. A view with a room. A structure awaiting a presence—the frame/work of an event, yet to unfold. Sit down upon the bench, and the event unfolds. The bench as symbolic bridge between cultural space and urban space, between the social and the spatial. A viewing platform. A platform for viewing. Viewing the platform.

Marking space, inflecting the container, as an event. The event which marks the border between things, between bodies, between inside and outside, one territory and the other.

{Many years ago, the art critic and historian Michael Fried examined the attributes of minimalist (or as he called it, "literalist" art), and identified a theatricality—that the object's presence and meaning was completed through the presence of the viewer (as object), and vice-versa. In other words, the construction, and unfolding, of an event.}

Distinctions are nudged into a mode of appearance, and a presence evolves. Where there once was a wall, there is now an element which points to the actuality of that wall. A door. A peephole in a door, the suggestion of another room, a space beyond, a view through structure. In Rockenschaub's 1993 exhibition at Art Metropole in Vienna, the artist constructed an interplay of architectonic spaces and viewing devices: a door with peephole, a tripartite stair unit facing a white wall. Where does one space end, and another begin? How does architectural structure operate to delineate social space? What are the signifying conditions of the interplay between body, place, and vision?

Perhaps Rockenschaub is saying that art is always defined in relation to a set of contextual conditions, and that art may also (virtually) disappear into its informing context. Or, conversely, that the context may collapse into the art. But where then is the "art" to be located? And where then might we locate the "context"? How do we articulate such locations, if not through the application of agreed-upon or previously designated institutional boundaries and systems-definitions? Rockenschaub,s inflections continuously map, re-map and occasionally transgress such boundaries limits.

{The place of art is always contingent upon decisions of placement within a certain situation that has characteristic and usually acknowledged parameters. Sometimes, however, the contours of the frame are revealed only through an act of placement. The question is: where does the art take place, or, where does it occur? It occurs by taking place—by taking its place in relation to a certain situation: tangent to a framework comprised of recognizable features (whether these be architectural, social, psychological, institutional, cultural, etc.).}

The inflection of an architectural environment so as to allow the individual to re-negotiate the social-institutional space of display: Rockenschaub's series of wooden stair-like units, placed at the (foot of) museum walls, may function as device-platforms that reveal the other side of the boundary. These were installed to observe, both symbolically and literally, that which exists backstage—specifically, in the 1993 exhibition, "Backstage" at the Kunstverein in Hamburg and the Kunstmuseum Lucerne. But what is on the other side of a boundary, of that cut in space? Another room, or perhaps that which exists beyond the architectural frame (i.e., the "outside"). Inside-out, outside-in. The simultaneous delineation and folding-together of inside and outside.

What is a fold in space?

To fold and unfold: these are terms which the architect Peter Eisenman has borrowed from Gilles Deleuze to characterize the (possible) attributes of contemporary urban space and architecture in relation to the proliferation of media culture. Within a non- or post-Euclidean conception of urban space, continuous modification unfolds, thereby rendering that which is solid ephemeral, and the ephemeral, virtually transparent. The virtuosity of virtual urban territories.

A barely visible alteration in space—one of Rockenschaub's more recent inflatable PVC objects, perhaps? Nearly transparent folds in space, virtual objects, objects of virtuality. Structures for a virtual age. Look through structure, into another structure. The object as filtering device within social space.

Returning to 1994, Rockenschaub utilized the Secession in Vienna as a literal and symbolic filtering system between institutional space and external urban space. "Six chairs (to sit down and look out of the window)" provided the conditions for that precise activity—the contemplation of the external world from the perspective of a constructed place. In the main Secession hall, Rockenschaub presented 34 inkjet prints of views of Vienna—a record of movement through the urban space, perhaps nothing more or nothing less. Here, Rockenschaub asks us to move through—and to look beyond—both literal and symbolic boundaries in order to re-think our assumptions about what constitutes the "frame" of visual culture. From the map of the institution, outward to the mapping of urban space, and back again—an irrefutable, mundane, circularity.

Perhaps Rockenschaub is here seeking a way to deploy a subjective map through institutional and urban spaces which have already been subjected to the laws of rational organization. Creating an interplay of location and dislocation, Rockenschaub's utilization of computer-assisted photographic imagery as well as video in his 1994 Linz Landesmuseum project suggests an examination of the "representation of reality." He injects himself into the city of Linz, and documents his series of normative observations. This is a type of situational aesthetics in which apparently non-aesthetic situations are re-coded through gestures of straightforward observation. It is tenable to suggest that Rockenschaub is out to capture his intuitive absorption into the reality that is always in the process of representing itself—as territorialized space—back into the framing apparatus of photography and video.

The framing and re-framing of situations. Cuts into space. That which in space is visible and invisible. The making visible of space—as territorial boundary—through the construction of architecture, the disappearing of space through the evacuation of structure.

Form and anti-form: the transparency of objects, the objectivity of transparency.

Objects with virtual boundaries: Rockenschaub's inflatable PVC objects flirt with a condition of dematerialization, yet still proclaim a unique quality of presence. It is this paradox which endows these objects an elegant absurdity—at once rigorous and comical, substantial yet playfully inconsequential. The presence of virtual non-presence. Comprised of four inflatable, transparent PVC structures (and an inflatable "picture"), Rockenschaub's 1996 exhibition at Galerie Susanna Kulli in St. Gallen is a playful re-consideration of the intrinsic interdependence between object and place. Rockenschaub continues this type of interplay with the 10 inflatable PVC objects presented in his 1998 show Galerie Hauser & Wirth, Zurich. Distributed in an uneven grid throughout the gallery space, these 2x2x2 meter virtually-transparent structures flirt with a traditional sculptural monumentality, yet undermine that symbolic authority by virtue of their apparent immaterial materiality. These objects are at once autonomous, yet intrinsically contingent upon their space for "completion." Awkwardly precise, weirdly elegant, these are transitory objects that assume an ironic (and iconic) theatricality of permanence.

For Rockenschaub, it might be argued that the "art of place" addresses the function of context/place in relation to the making of art. In the end, the place of art (or, the place for art) and an "art of place" become virtually interchangeable as ideas, and probably as material practices. At what point does the "artfulness" of art begin to dissipate? Precisely at the moment when what we have named as "art" ceases to draw attention to itself as "art," to its physical autonomy (and ontology): precisely at the moment of its disappearance into its frame, its context, its place.

These playfully analytical concerns were evident in Rockenschaub's 1998 show at Galerie Mehdi Chouakri in Berlin. Here, the artist installed two glass plate structures that re-coded the architectonics of the gallery space, and also operated as a kind of meta-pictorial device. In addition, a wide-angle lens was placed on the interior of the front gallery window (facing the street), so that visitors would experience a distortion in the relation between internal social space and the external urban environment. A window to look through, into, that which exists beyond the institutional frame of culture: inside-out, outside-in, once again.

In a sense, Rockenschaub here strips the pictorial conditions of abstraction (both in terms of the codes of painting and sculpture) down to a degree-zero minimum, and injects this emptied lexicon into the design/architectural conditions of the space. This analytical gesture triggers a re-coding of the social space through the agency of a transparent structural "intermediary." Context is read through the transparency of a (post) object installation, a virtual structure that resists categorization. These qualities are indeed echoed by the PVC curtain installed in the second room at Mehdi Chouakri: a soft, ephemeral element that suggests the poetics of the provisional, assuming the presence of something at once material and immaterial, even as it re-codes the social architectonics of that space.

The exhibition as event, the event as exhibition. How does architecture address the problem of space? By constructing boundaries & borders to circumscribe space—i.e., to "shape" space into a negotiable territory. In our era of proliferating media, the metaphor of temporality has been eclipsed by metaphors of spatiality, and architecture (no doubt more in its theoretical form than its material practice) has become increasingly preoccupied with the possibilities of hybrid spatial mutation, and modes of virtuality. Rockenschaub's PVC objects and other meta-architectural and/or meta-design inflections acknowledge a cultural ethos involving the interplay of virtuality and actuality, illuminating how social space is—inevitably—a platform for the construction, unfolding and dissolution of events.

1993, „Backstage",
Kunstverein in
Hamburg, Wand,
6 Stufenelemente
aus Lärchenholz,
je 60 x 50 x 60 cm
*(wall, 6 stair units
made of larchwood,
each 60 x 50 x 60 cm)*

Joshua Decter

event@rockenschaub.com/inflect/social mappings/

„Architektur kann nicht länger von den statischen Bedingungen von Raum und Ort, dem Da und Dort bestimmt werden. In einer medial vermittelten Welt gibt es nicht mehr Orte in dem Sinn, wie wir sie einst verstanden. Architektur muß sich jetzt mit dem Problem des Events auseinandersetzen."

Peter Eisenman

Erinnerung: 1996 lud ich Gerwald Rockenschaub ein, an einer Ausstellung mit dem Namen „a/drift" teilzunehmen. Da diese Ausstellung versuchte, die komplexen symbolischen und materiellen Strömungs-Beziehungen zwischen Jugend-Subkultur, visueller Kunstsprache und den Kunstwerken der Popkultur zu behandeln, schien es ganz natürlich, Rockenschaub zu bitten, bei der Eröffnung ein Event zu organisieren: d.h. als DJ zu agieren und die Bedingungen für eine Tanzparty zu schaffen.

Ich erbat von Rockenschaub kein „Kunstwerk" an sich. Viel mehr bat ich ihn um seine Anwesenheit als Spezialist für einen anderen (sub)kulturellen Bereich. Er (und zwei DJ-Kollegen) modulierten die Eröffnung mit Beispielen aus der elektronischen Musik, Post-Techno, Trance und anderen Richtungen. Ihre Arbeitsweise schuf das Ambiente für das soziale Event, sowohl innerhalb des Rahmens der Ausstellung als auch jenseits derselben.

Rockenschaub hat eine duale Zugangsweise zu seiner kulturellen Produktion, indem er einerseits an internationalen DJ-Aktivitäten und Musikproduktionen, gleichzeitig aber auch weiter an der Kunst-Szene teilnimmt. Obwohl diese kulturellen Arbeitsweisen relativ unterschiedlich und autonom sind, wird doch deutlich, daß Rockenschaubs Entwicklung von visueller Kunstsprache und Musiksprache wichtige konzeptionelle Überschneidungen aufweisen könnte: besonders, wenn es um Vorstellungen geht, was denn eine Veranstaltung ausmacht und wie wir die Konstruktion „des Sozialen", des sozialen Raumes also, verstehen.

{Es gibt Veranstaltungen, die an der Grenze eindeutiger sozialer und kultureller Erfahrungen, sprachlicher Codes, Erwartungen, Sehnsüchten und Projektionen liegen. Der Raum, der von dieser sogenannten Grenze besetzt und/oder geschaffen wird, ist natürlich dehnbar; und das „Event" ist nichts anderes als der jeweils artikulierte Versuch einer Übersetzung in etwas Konzeptionelles und Materielles dessen, was an dieser Grenze passiert.}

Es stimmt vielleicht, daß die meisten Besucher der „a/drift"-Eröffnung nicht verstanden, daß Rockenschaub tatsächlich ein integraler Bestandteil der Ausstellung war; viele nahmen sicherlich an, daß er zur Unterhaltung der Gäste engagiert war. Was in gewisser Weise auch zutraf, denn er war für eine bestimmte Dienstleistung zuständig. Rockenschaub ließ seine eigene Präsenz durch eine der Club-Kultur ähnliche Performance einfließen, was gleichzeitig ein autonomes Gebiet im Verhältnis zu den normativen institutionellen Parametern der Ausstellung kennzeichnete. Rockenschaubs Position war absichtlich wunderbar ambivalent: als Katalysator der Eröffnungsfeier war er ein Outsider, der eigentlich ein Insider war, ein Insider, der vielleicht als Outsider wahrgenommen wurde. Oder vielleicht noch einfacher: ein Kulturproduzent, der sich vorsichtig durch ein Spektrum scheinbar widersprüchlicher Rollen und Definitionen bewegte.

Bis zu einem gewissen Grad zwingt uns Rockenschaub, das allgemeine Ethos kultureller Spezialisierung, das in allen Aspekten unseres Lebens ständig zugegen ist, neu zu überdenken. Aber anders als bestimmte Künstler, die eine „Neu-Zuordung" der konzeptuellen und materiellen Prozesse des künstlerischen Schaffens in die soziale Alltäglichkeit (Alltäglichkeit, die ich als die wesentliche Schnittstelle von künstlerischem Schaffen und normalem Leben verstehe, die durch bewußte kulturelle Praktiken als eine weitere Dimension der täglichen sozialen Existenz ritualisiert wird) versuchten, scheint Rockenschaub nicht an einer Kunstproduktion mit „post-ästhetischer Ästhetik" zu arbeiten. Vielmehr ist seine Kunstsprache eine höchst subtile Synthese von Architektonik, Industrie-Design, Malerei und objektbezogener Produktion, die ihre Kohärenz aus einer vollendeten Präzision der Überleitung von Konzeption-in-Form bezieht.

Rockenschaub betont durchgehend die Trennlinien zwischen künstlerischer Praxis und Aktivitäten im Bereich der Musik. Er ist darauf bedacht, diese realen und symbolischen kultur-ästhetischen Grenzen nicht zu verwischen (oder gar aufzuheben). Ein Wechselspiel zwischen Sprachformen wird in Bewegung gesetzt, wobei sich die einzelnen Aktivitäten nicht notwendigerweise in ihrer Sinnstiftung komplementieren.

„Inflection", also Modulation oder Flexion, ist ein getarnter Akt der Intervention.

Flektieren heißt soziales und räumliches Gebiet zu markieren, das (bereits) rationalisiert ist.

Rockenschaub flektiert Räume, Örtlichkeiten, Strukturen.

Flektieren heißt zu ent-territorialisieren und neu zu territorialisieren, ohne dem Kontext den Krieg zu erklären. Es bedarf der nötigen List und des ironischen Spiels

Flektieren heißt auch gängige Vorstellungen von räumlicher, sozialer und kultureller Wirkung einer Situation, eines Ortes zu verändern.

Flektieren heißt einen Ort gemäß seiner inneren Logik neu zu erfassen. Es ist ein Akt, der die Wahrnehmung einer Situation „verschiebt".

{Historisch gesehen setzte Michael Asher in seinen Arbeiten einen Akt der Flexion, während Hans Haake intervenierte.}

Flektieren, etwas subtil neu erfassen, heißt ein bestimmtes Ereignis des Wahrnehmens zu ermöglichen. Ein Ereignis der kognitiven und perzeptuellen Modifikation.

Um die Sprache der Phänomenologie zu bemühen: ein Ereignis, das sich am Schnittpunkt von Betrachter und Kontext entfaltet, ausgelöst durch strukturelle Flexion und Abwandlung.

Da sind zum Beispiel Rockenschaubs „36 Acrylglasplatten", die er 1989 für die

Ausstellung in der Galerie Paul Maenz in Köln produziert hat. Eine sehr direkte und doch flüchtige Geste: die Wände der Galerie mit transparenten Kunststoffplatten überziehen. Eine augenscheinlich einfache Geste, die nackte Wände offenbart – nur Schrauben und Beilagscheiben, sichtbar als strukturelle Mittel der Befestigung. Das Weiß der Architektur der Galerie – neu-codiert als ein sichtbares Ereignis an der Oberfläche.

Aus einer bestimmten Perspektive sind „36 Acrylglasplatten" eine ironische Variation des (theoretischen) Todeskampfes der post-geometrischen Malerei. Das leere kulturelle Zeichen in der Malerei nimmt hybride Gestalt an: gleichzeitig bildhaft und nicht-bildhaft, physisch aber scheinbar immateriell.

Die „Pikturalisierung" der Architektur, die „Architekturalisierung" des bildhaften Rahmens. Der Rahmen als Rahmen, der Rahmen als Bild, das Bild, das zum Rahmen wird.

Architektur und Nicht-Architektur, Post-Architektur, ebenso skulptural wie nicht-skulptural, eine Form des Zeichnens im Raum. Transparent in seiner Präsenz, eine Abwesenheit, die die strukturelle Tatsächlichkeit des Kontextes enthüllt.

Eine Modulation des sozialen Raums – die Architektur des Containers wird wieder sichtbar, was gleichzeitig eine Geste der kontextuellen Spiegelung und Nicht-Spiegelung darstellt. Eine kaum erkennbare Einstellung gegenüber dem Faktum Raum: nüchtern, eine künstliche Geste, ebenso referentiell wie selbst-referentiell.

Rockenschaubs „Trennender Vorhang aus Zellophan", den er 1991 für seine Ausstellung im Kunstmuseum Luzern produzierte, setzt diesen Prozeß der Untersuchung vorbestimmter struktureller Bedingungen des Ortes fort. Subtil wird in Architektur eingegriffen, neu-codiert. In diesem Fall verdeckt der Vorhang wie ein Kleid oder ein anderes Kleidungsstück aus Plastik eine lange Museumswand. Dabei wurde der Durchgang durch die Wand „blockiert", sodaß die Besucher durch diese Türöffnung nicht mehr in den anschließenden Raum gehen, wohl aber in ihn hineinsehen können. Quälend.

Der transparente Vorhang unterbricht stillschweigend den normativen Bewegungsfluß durch das Museum und lenkt zugleich die Aufmerksamkeit auf die Künstlichkeit des Architektur-Designs. Das ist eine Form des Theaters – die Theatralik der Neu-Programmierung des Raumes, ohne den angewandten Nutzen des Programms.

Bernard Tschumi, Architekt und Urbantheoretiker, entwickelte den Begriff des „cross-dressing" in der Architektur, das vielleicht Prozesse des „cross-programming" in der Architektur ermöglicht: die Trans-Formation vorbestimmten Raumes und/oder vorbestimmter Bedingungen der Architektur durch das Hinzufügen einer Anomalie, einer minimalen Trans-Mutation im sozial-urbanen Raum.

1991 gab Rockenschaub in seinem Projekt für die EA-Generali Foundation in Wien dem Publikum die Möglichkeit, die architektonischen Bedingungen des Raumes (und/oder die räumlichen Bedingungen der Architektur) zu transformieren: er macht weiße, eigentlich hinter einer Tür versteckte „einziehbare Trennwände" sichtbar und enthüllte diese strukturellen Elemente, die normalerweise vor dem Auge des Betrachters versteckt bleiben. Diese einfache Geste, sozusagen das Auspacken der Infrastruktur des Raumes, schuf für die Betrachter die Möglichkeit, die Grenzen des sozialen Raumes selbst zu modulieren und neu zu codieren. In diesem Fall lieferte der Ort selbst seine eigenen Mittel der architektonischen Neu-Definition und das Publikum war eingeladen, wenn auch indirekt, an der Manipulation des ästhetischen Gefüges teilzunehmen.

Im selben Jahr fügte Rockenschaub in der Galerie Metropol in Wien der architektonischen Situation ein weiteres Element hinzu: die Installation einer Absperrkette, deren Funktion es war, die Grenzen eines Stücks leeren Raumes abzustecken. In dieser Installation wurde der architektonische und soziale Raum der Galerie neu entwickelt, eine neue Grenze wird gesetzt, die Bedeutung dieser Grenzziehung ist selbst Teil der Wahrnehmung der räumlichen Grenze. Raum im Raum, der Ort als ästhetisches Gefüge, als Ereignis, das darauf wartet, sich zu entfalten. Eine erfundene Grenze, eine reale Konsequenz, eine neu-definierte Situation. Ein symbolischer und doch physischer Schnitt im Raum.

Kartographisches Erfassen ist das wissenschaftliche Durchschneiden von Raum, um Rahmen und Grenzen zu beschreiben, die wiederum ein territoriales Modell schaffen: Kartographie dient zur Rationalisierung von Raum im Verhältnis zu einer „subjektiven" Erfahrung desselben.

Die Landkarte ist ein bildhaftes Feld, dessen Aufgabe es ist, die schematischen Konturen eines bestimmten Gebietes zu vermitteln; die physischen und nicht-physischen Eigenschaften dieses Gebietes (d.h. rationalisierter Raum) werden metaphorisch in dem Modell einer Karte ausgedrückt. Welche Geschichte wird mittels einer Landkarte erzählt? Ist es vielleicht die neutrale Erzählung des kartographischen Erfassens selbst? Vielleicht ist es zulässig anzunehmen, daß erlebter architektonischer/geographischer Raum ebenso eine Abstraktion einer Landkarte ist wie die Landkarte Abstraktion des erlebten Raumes: beide artikulieren die territorialen Horizonte oder Parameter des Anderen.

Eine Aussichtsplattform
Eine Plattform zur Betrachtung
Das Betrachten einer Plattform

Rockenschaubs „Gerüst"-Installation in der Villa Arson (1992) kann als Heavy-metal-Flexion des modernistischen Raumes verstanden werden. Die Besucher können das Gerüst auf der einen Seite über ein stiegenähnliches Element betreten, die gesamte Länge des Gerüsts (das die Breitseite der Galerie zweiteilt) überqueren, den leeren Galerie-Raum von oben betrachten und auf sich wirken lassen, um dann über ein zweites stiegenähnliches Element wieder hinunter zu steigen. Es passiert nichts weiter als eine modifizierte Erfahrung der Situation. Es ist beinahe wie ein Ambient Event. Bedeutung ist selbst-referentiell dem Individuum gegenüber und dessen Verhältnis zum Ort. Indem Rockenschaub eine „alltägliche" vorgefertigte Struktur, die für Konstruktion steht (d.h. Konstruktion-als-Prozeß) in Verwendung nimmt, entwirft er den Kontext neu als eine Situation-im-Entstehen. Im eigentlichen Sinne entsteht nichts als unser Verhältnis zum Raum. Das ist nicht Architektur an sich, sondern vielmehr die Konnotation einer architektonischen Bedingung.

In seinem Beitrag zur 45. Biennale in Venedig (1993) entwickelte Rockenschaub die Idee des Gerüsts noch weiter. In diesem Fall entwarf er einen ausgedehnten Laufsteg, der die räumlichen und architektonischen Koordinaten des Innenraumes des Pavillons erfaßte und so dem Besucher ermöglichte, sich zwischen Fußboden- und Fensterniveau frei zu bewegen. Dieses abwechselnd aggressive und sensible Neu-Codieren von Kontext/Raum schuf eine bestimmte Art der Theatralik: die Struktur des Gerüsts stellt das Verhältnis des Besuchers zum Raum in ein ungewohntes Licht. Die Gerüst-Struktur schafft eine Erwartungshaltung auf ein unmittelbar bevorstehendes Ereignis – die Präsenz von Raum durchschreitenden Körpern in einem architektonischen Gefüge.

{Schau aus dem Fenster, geh durch die Tür: das sind die strukturellen Komponenten und Wahrnehmungsgewohnheiten, auf die wir innerhalb gebauter Räume immer wieder zurückgreifen, um zwischen verschiedenen Räumen unterscheiden zu können, oder einfach, um deren Unterscheidungsmerkmale zu bestätigen. Die beiden Zwillingsbegriffe Eingang und Ausgang – oder in diesem Fall Ankunft und Abreise – bilden gewissermaßen die zwei Seiten ein- und derselben linguistischen Münze; sie sind verbunden durch interdependente utilitaristische Werte und schaffen ein allgemein anerkanntes Hilfsmittel zur Identifizierung angenommener Grenzen zwischen der Erfahrung/Idee des „Innen" und des „Außen".}

1992 installierte Rockenschaub vor den Galeriefenstern der Elizabeth Koury Gallery in New York zwei Sessel mit schwarzen Metallrahmen und Sitzen aus roter Lederimitation. Nicht mehr, nicht weniger. Ein Zimmer mit Aussicht, sozusagen. Eine Aussicht mit Zimmer. Eine Struktur in Erwartung einer Präsenz – die Rahmenbedingung eines Ereignisses, das sich noch entwickeln muß. Man nimmt Platz und der Prozeß beginnt. Die Sitzbank als symbolische Brücke zwischen kulturellem und urbanem Raum, zwischen dem Sozialen und dem Räumlichen. Eine Aussichtsterrasse. Eine Plattform zum Betrachten. Das Betrachten der Plattform.

Das Markieren des Raumes, die Flexion des architektonischen Behältnisses als Event. Das Ereignis selbst, das die Grenze zwischen den Dingen, Körpern, dem Innen und Außen, einem Territorium und dem anderen kennzeichnet.

{Vor vielen Jahren untersuchte der Kunstkritiker und Historiker Michael Fried die Merkmale minimalistischer (er bezeichnete sie als nüchterne/sachliche) Kunst und entdeckte eine theatralische Eigenschaft – Präsenz und Bedeutung des Objekts wurden vervollständigt durch die Gegenwart des Betrachters (als Objekt) und umgekehrt. In anderen Worten, die Konstruktion und die Entwicklung eines Ereignisses.}

Unterschiede werden beinahe unbemerkt in eine bestimmte Erscheinungsform gebracht, schon entsteht Präsenz. Wo sich zunächst nur eine Wand befand, findet sich jetzt ein Element, das auf die tatsächliche Existenz der Wand verweist. Eine Tür. Ein Guckloch in einer Tür, die Anspielung auf einen anderen, dahinter liegenden Raum, ein Blick durch die Struktur. In Rockenschaubs Ausstellung in der Galerie Metropol in Wien (1993) konstruierte der Künstler ein Wechselspiel zwischen architektonischen Räumen und Betrachtungsvorrichtungen: eine Tür mit Guckloch, ein dreigeteiltes Treppenelement vis-à-vis einer weißen Wand. Wo endet ein Raum, wo beginnt der nächste? Wie funktioniert architektonische

Struktur um sozialen Raum zu beschreiben. Was sind die signifikanten Bedingungen des Wechselspiels zwischen Körper, Raum und Betrachtung?

Vielleicht sagt uns Rockenschaub damit, daß Kunst immer im Verhältnis zu einer bestimmten Menge kontextueller Bedingungen definiert wird und daß Kunst auch (virtuell) in ihrem eigenen, sie schaffenden Kontext verschwinden kann. Oder, umgekehrt, daß Kontext in der Kunst verschwinden kann. Wo aber müssen „Kunst" und „Kontext" dann geortet werden? Wie sollen wir eben diese Orte artikulieren, wenn nicht durch die Anwendung vereinbarter oder vorher bestimmter institutioneller Grenzen und System-Definitionen? Rockenschaubs Modulationen erfassen diese Grenzen, definieren sie neu und überschreiten sie gelegentlich.

{Der Ort der Kunst ist immer bedingt durch Entscheidungen der Plazierung innerhalb einer bestimmten Situation, die charakteristische und gewöhnlich anerkannte Parameter besitzt. Manchmal aber werden die Konturen des Rahmens nur durch den Akt der Plazierung freigelegt. Die Frage ist: wo findet die Kunst statt oder wo passiert sie? Sie passiert, indem sie stattfindet – stattfindet im Verhältnis zu einer bestimmten Situation: in einer flüchtigen Berührung mit einem Gefüge, das sich aus erkennbaren Merkmalen zusammensetzt. (Diese können architektonisch, sozial, psychologisch, institutionell, kulturell etc. sein.)}

Die Modulation architektonischer Umgebung als Möglichkeit für das Individuum den sozial-institutionellen Raum der Ausstellung neu zu verhandeln: Rockenschaubs stiegenähnliche Holzelemente, die er jeweils am Ende der Ausstellungswände aufstellte, mochten als eine plattformartige Vorrichtung fungieren, von der aus sich die andere Seite der Grenze enthüllt. Sie wurde installiert, um das zu beobachten, was sich, im symbolischen wie auch im wörtlichen Sinn, hinter der Bühne befindet – im besonderen trifft das für die Ausstellung „Backstage" im Kunstverein in Hamburg und im Kunstmuseum Luzern (1993) zu. Was aber ist auf der anderen Seite dieser Grenze, dieses Schnittes durch den Raum? Ein anderer Raum oder vielleicht das, was jenseits des architektonischen Gefüges existiert (d.h. das „Außen"). Das Außen nach innen, das Innen nach außen. Das simultane Abgrenzen und Verschmelzen von Innen und Außen.

Was ist eine Falte im Raum?

Falten und entfalten: das sind die Begriffe, die Architekt Peter Eisenman von Gilles Deleuze lieh, um die (möglichen) Attribute von gegenwärtigem urbanen Raum und Gegenwartsarchitektur im Verhältnis zur Produktion der Medienkultur zu charakterisieren. Innerhalb einer nicht- oder post-euklidischen Konzeption von urbanem Raum gibt es kontinuierliche Veränderung, wobei Beständiges vergänglich erscheint, Vergängliches virtuell transparent wird. Die Virtuosität virtueller urbaner Räume.

Eine kaum sichtbare Veränderung im Raum – eines von Rockenschaubs jüngeren aufblasbaren PVC-Objekten vielleicht? Fast durchsichtige Falten im Raum, virtuelle Objekte, Objekte der Virtualität. Strukturen für ein virtuelles Zeitalter. Durch eine Struktur in eine andere Struktur schauen. Das Objekt als Filter-Vorrichtung im sozialen Raum.

▲ **1994,** Secession, Wien, 2 Wände, welche einen Korridor vom Eingang zu einem Ausgang an der Rückseite des Gebäudes bildeten, 34 Inkjet Prints von Wiener Stadtansichten *(34 inkjet prints of views of Vienna arranged on two built in dividing walls, which formed a corridor leading from the entrance to an exit on the back of the building)*

► **Seiten 114/115** ***(page 114/115)*****:**

1994, Secession, Wien, Inkjet Prints von Wiener Stadtansichten, je 65 x 98 cm *(inkjet prints of views of Vienna, each 65 x 98 cm)*

▲ **1994**, Secession, Wien, 6 Stühle wurden vor ein Fenster gestellt; man konnte darauf Platz nehmen und aus dem Fenster schauen *(6 chairs were arranged to sit down and look out of the window)*
► **1994**, Secession, Wien, Videoinstallation „I can make it sound fast, I can make it sound slow, I can make it sound any way I want it to“ *(videoinstallation "I can make it sound fast, I can make it sound slow, I can make it sound any way I want it to")*

1994 funktionierte Rockenschaub die Secession in Wien im wörtlichen Sinn und symbolisch als Filter-System zwischen institutionellem und extern-urbanem Raum um. Sechs Stühle (um sich niederzusetzen und aus dem Fenster zu sehen) schufen die Voraussetzungen für eben diese Tätigkeit – die Betrachtung der Außenwelt aus der Perspektive eines konstruierten Ortes. In der Haupthalle der Secession präsentierte Rockenschaub 34 Tintenstrahl-Ausdrucke mit Ansichten von Wien – eine Aufzeichnung von Bewegung durch den urbanen Raum, vielleicht nicht mehr und nicht weniger. Hier fordert Rockenschaub dazu auf, diese tatsächlichen und symbolischen Grenzen zu durchschreiten – und sie mit unserem Blick zu überschreiten, um unser Verständnis dessen, was den „Rahmen“ visueller Kultur konstituiert, neu zu überdenken. Von den räumlichen Gegebenheiten (map) der Institution hinaus in das Erfassen (mapping) urbanen Raumes und wieder zurück – eine unwiderlegbare, irdische Zirkularität.

Vielleicht sucht Rockenschaub hier einen Weg, einen subjektiven Plan (map) durch institutionelle und urbane Räume zu entwickeln, die bereits den Gesetzen der rationalen Organisation unterworfen wurden. Durch dieses Wechselspiel von Locierung und Dislocierung suggeriert Rockenschaubs Verwendung von Computer unterstützten Photographien und Videos in seinem Projekt für das Linzer Landesmuseum (1994) eine Untersuchung der „Repräsentation der Wirklichkeit“. Er begibt sich in die Innenstadt von Linz und dokumentiert seine Serie normativer Beobachtungen. Das ist eine Art situative Ästhetik, in der offensichtlich nicht-ästhetische Situationen durch Gesten nüchterner Beobachtung neu-codiert werden.

Es ist legitim anzunehmen, daß Rockenschaub versucht, sein intuitives Absorbieren von einer Wirklichkeit, die sich immer selbst als territorialisierter Raum repräsentiert, dem gestaltenden/rahmenden Apparat für Photographie oder Video wiederum einzuverleiben.

Das Gestalten und Neu-Gestalten von Situationen.

Schnitte im Raum. Das, was im Raum sichtbar und unsichtbar ist. Das Sichtbarmachen von Raum – als territoriale Grenze – durch die Konstruktion von Architektur, das Verschwinden von Raum durch die Entfernung von Struktur.

Form und Anti-Form: die Transparenz von Objekten, die Objektivität von Transparenz.

Objekte mit virtuellen Grenzen: Rockenschaubs aufblasbare PVC-Objekte kokettieren mit der Möglichkeit ihrer Entmaterialisierung, vermitteln aber dennoch die Qualität einer außergewöhnlichen Präsenz. Es ist eben dieses Paradoxon, das diesen Objekten eine feine Absurdität verleiht – streng und witzig, substanziell und doch verspielt trivial. Die Präsenz virtueller Nicht-Präsenz. Mit ihren vier aufblasbaren PVC-Strukturen (und einem aufblasbaren „Bild") ist Rockenschaubs Ausstellung in der Galerie Susanna Kulli in St. Gallen eine spielerische Neu-Betrachtung der wesentlichen Interdependenzen zwischen Objekt und Ort. Rockenschaub setzt diese Art des Wechselspiels fort mit zehn aufblasbaren PVC-Objekten, die er 1998 in seiner Ausstellung in der Galerie Hauser & Wirth in Zürich präsentierte. Die Gleichmäßigkeit des Rasters aufbrechend, leicht versetzt im Galerieraum verteilt, kokettieren diese 2x2x2 Meter großen transparenten Strukturen mit der traditionellen Monumentalität von Skulpturen, um diese symbolische Autorität gleichzeitig mittels ihrer offenbar immateriellen Materialität zu untergraben. Diese Objekte sind sowohl autonom als auch wesentlich bedingt durch den Raum ihrer „Vervollständigung". Mit ihrer schwerfälligen Exaktheit, ihrer eigenartigen Eleganz nehmen diese vergänglichen Objekte eine ironische (und ikonische) Theatralik der Permanenz an.

Für Rockenschaub, so ließe sich argumentieren, beschäftigt sich „die Kunst der Ortes" mit der Funktion von Kontext/Ort im Verhältnis zum Kunstschaffen. Letzten Endes werden der Ort der Kunst (oder der Ort für Kunst) und eine Kunst des Ortes

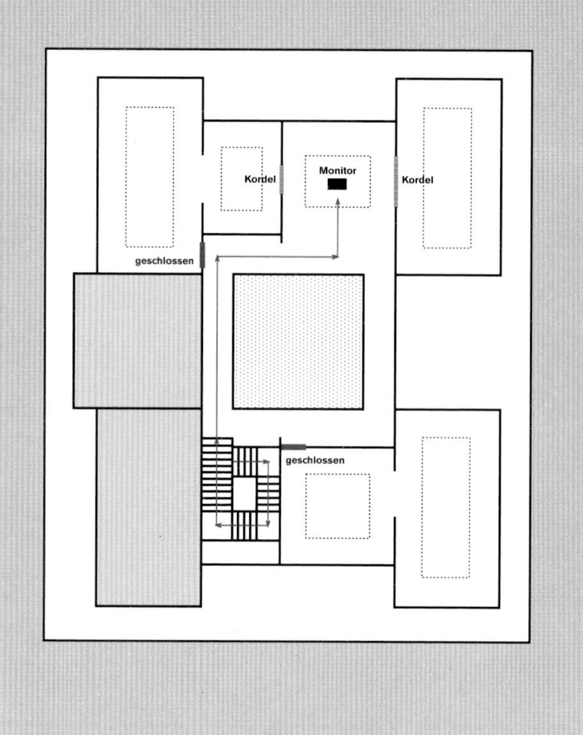

◄ **1995**, Installationsskizze der Austellung im Museum Francisco-Carolinum, Linz *(installation plan of the exhibition at the Museum Francisco-Carolinum, Linz)*
► **1995**, Museum Francisco-Carolinum, Linz, Videodokumentation eines Spaziergangs vom Museum zum Bahnhof *(video documentation of a walk from the museum to the railway station)*

austauschbar als Ideen und vielleicht sogar als materielle Prozesse. An welchem Punkt beginnt sich die Kunsthaftigkeit von Kunst aufzulösen? Genau dann, wenn das, was wir als „Kunst" bezeichnet haben, aufhört Aufmerksamkeit auf sich selbst als „Kunst" zu lenken, auf seine physische Autonomie (und Ontologie): genau im Moment seines Verschwindens in seinen Rahmen, seinen Kontext, seinen Ort hinein.

Diese spielerisch analytischen Überlegungen waren 1998 in Rockenschaubs Ausstellung in der Galerie Mehdi Chouakri in Berlin evident. In dieser Ausstellung installierte der Künstler zwei Glasplatten-Strukturen, die die Architektonik des Galerieraumes neucodierten und auch als eine Art meta-bildhafte Vorrichtung dienten. Zusätzlich war eine Weitwinkellinse an der Innenseite des vorderen Galeriefensters angebracht (ausgerichtet auf die Straße), sodaß die Besucher eine Verzerrung des Verhältnisses zwischen internem sozialen Raum und externer urbaner Umgebung erleben konnten. Ein Fenster mit Einblick auf das, was jenseits des institutionellen Rahmens von Kultur existiert: noch einmal das Innen-nach-außen, das Außen-nach-innen.

In gewissem Sinne reduziert Rockenschaub hier die bildhaften Bedingungen der Abstraktion (was sowohl den Code in der Malerei als auch in der Skulptur betrifft) auf null und konfrontiert mit dieser entleerten Begrifflichkeit das Design/die architektonischen Bedingungen des Raumes. Diese analytische Geste bedingt eine Neu-Codierung des sozialen Raumes mit Hilfe eines transparenten strukturellen „Zwischenstücks". Kontext wird gelesen

durch die Transparenz einer (Post-)Objekt-Installation, einer virtuellen Struktur, die sich einer Kategorisierung widersetzt. Diese Eigenschaften finden sich wieder in dem PVC-Vorhang, der im zweiten Raum der Galerie Mehdi Chouakri installiert ist: ein weiches, flüchtiges Element, das die Poetik des Provisorischen suggeriert, die Qualität des Materiellen und Immateriellen gleichzeitig vermittelt, sogar in seiner Neu-Codierung der sozialen Architektonik dieses Raumes.

Die Ausstellung als Event, das Event als Ausstellung. Wie tritt Architektur an das Problem des Raumes heran? Indem sie Grenzen konstruiert, um Raum zu definieren – d.h. um Raum in ein greifbares Territorium zu „formen". In unserem Zeitalter der omnipräsenten Medien wurde die Metapher von Zeitlichkeit durch die Metaphern von Räumlichkeit verdrängt. Architektur (natürlich in ihrer theoretischen Form eher als in ihrer materiellen Praxis) konzentrierte sich auf die Möglichkeiten hybrider räumlicher Veränderung und Formen der Virtualität. Rockenschaubs PVC-Objekte und andere meta-architektonische und/oder meta-designte Flexionen anerkennen ein kulturelles Ethos des Wechselspiels zwischen Virtualität und Realität und beleuchten, wie sozialer Raum – unvermeidlich – eine Plattform für den Aufbau, das Entfalten und Verschwinden von Ereignissen darstellt.

(Übersetzung: Trixi Kaiser-Gnan)

AUGENSEX

▲ **1984**, A1-Poster für die Wiener Festwochen
(A1-poster for the Vienna Festival)

Hans-Christian Dany

Don't go to the phone

Abstand *

Um Verführer zu sein, bedarf es stets einer gewissen Reflexion und Bewußtheit. Ein Verführer muß daher im Besitz einer Macht sein. Sobald man ihm die Macht gibt, wird das ästhetische Interesse ein anderes, nämlich: an dem Wie, an der Methode. Soweit frei nach Søren Kierkegaard.

Ankunft

Ich war eine Weile durch den Schnee gegangen, als ich die Tür öffnete. Für gewöhnlich richtet sich der Blick in Geschäftsräumen dieser Branche zuerst auf die Dinge an den Wänden oder, falls sichtbar, auf einen Händler und seine Gehilfen, die, mit Telefonhörern oder Tastaturen beschäftigt, meist nur kurz herüber nicken. Hier gab es erst mal weder das eine noch das andere.

Distanz **

Das Ladenlokal mit einer großen Fensterfront wirkte genauso leer wie voll. Ein widersprüchlicher Eindruck, dem ich in Rockenschaubs Arbeit noch öfter begegnen sollte. Mein Blick richtete sich zuerst auf eine rote Linie, die sich auf Augenhöhe horizontal durch den Raum zog. Ich bemerkte, daß die Linie sich auf einer quer zum Eingang aufgestellten Glasscheibe befand und mich davon abhielt, gegen diese zu laufen. Sie hatte also die Funktion, Ankommende vor Verletzung und ihren Träger vor Zerstörung zu schützen. Auch schien es sinnvoll, im Winter zwei – es gab noch eine weitere, im rechten Winkel aufgestellte – Glasscheiben am Eingang zu installieren, um die kalte Luft abzufangen.

Funktion

Die durch ihre Funktion vom Gewicht der Bedeutung befreite Installation ließ das rote Band entspannt in der Luft schweben. Die Kunst, mit der in diesen Räumen zu rechnen war, nahm sich höflich zurück und sah dabei gut aus. Die als Windfang positionierte Skulptur zwang meine Schritte nach rechts.

little projector *

Auf dem Weg zu zwei in der Rückwand des Raumes befindlichen Durchgängen, die auf mögliche Hinterzimmer hinwiesen, hing im Fenster ein geschliffenes Glas, wie es Busfahrer zur Verstärkung ihres Rückspiegels benutzen. Mein Blick wurde von diesem

Weitwinkel noch einmal auf die gerade verlassene Straße gezogen. In dem die Perspektive verzerrenden Sehwerkzeug huschten Gestalten im Halbdunkel, während ich selbst für einen Moment auf eine Bühne, in den Rahmen des beleuchteten Fensters trat. Ich zeigte mich beim Sehen. Dieser programmierte Blick und der damit verbundene Auftritt wiederholten symbolisch einen Wechsel der Systeme, der sich physisch schon durch das Überschreiten der Türschwelle vollzogen hatte. Die Sehhilfe wandelte sich in ein Hinweisschild, hier galt eine andere Verkehrsordnung.

get personal *

Die Ich-Menge in diesem Text könnte den Eindruck erwecken, ich wolle meine Auseinandersetzung besonders persönlich gestalten, das ist nicht meine Absicht. Mir scheint die Fokussierung auf meine Perspektive, die auch die eines anderen sein könnte, im Fall der Arbeit Rockenschaubs aber notwendig, da diese den Betrachter in hohem Maße auf sich selbst zurückwirft. Sie zwingt durch ihre Zurücknahme und das gleichzeitige Aufdrängen von Handlungen zu einer Selbstbeobachtung des eigenen Blicks und der Bewegung im Raum.

Den Versuch, diese Wahrnehmung in Sprache zu übersetzen, habe ich anfangs in der Gegenwartsform geschrieben. Dabei fiel mir auf, daß sich die Selbstbeobachtung erst aus dem Rückblick, als solche zusammensetzte.

Spiel mir das Lied vom Tod

Als ich begann, diesen Text zu schreiben, lieh ich mir von Rockenschaub einen seiner Lieblingsfilme aus, Sergio Leones „Spiel mir das Lied vom Tod". Dieser schien mich in meinem Ansatz, über das Verhältnis von Rockenschaubs Arbeit zum Film zu schreiben, erst mal nicht weiter zu bringen. Ich ließ das Band laufen und ging aus dem Zimmer. Als ich es nach zwei Stunden wieder betrat, lief ein anderer Film, der sich am Bandende befand. Es war ein aufwendig produzierter Tierfilm, der versuchte, die Perpektive eines Vogels zu imitieren. Virtuell vollzog er den Einstieg in den Körper eines anderen, der sich selbst auf die falschen Füße oder Klauen sieht.

give your color monitor a reason to live *

Die Generierung eines Blickes, dem des Betrachters, geht fast jeder Arbeit Rockenschaubs voraus. Es ist ein digitaler Schwarzweißfilm, den der Galeriebesucher nicht sieht, sondern nur dessen Nachbau betritt. Mit einem Mini-CAD-Programm baut Rockenschaub den Ausstellungsraum zuvor virtuell nach und animiert die Plazierung von Objekten, Eingriffen und Umbauten. Die Stimmigkeit seiner Setzungen überprüft er anhand von Fahrten, die den Gang des Besuchers simulieren. In diesen graphischen Filmen imitiert Rockenschaub die Perspektive des Betrachters. In gewisser Hinsicht versucht er dabei zum Regisseur von dessen Wahrnehmung in der Ausstellung zu werden.

► **1998**, Galerie Mehdi Chouakri, Berlin, Weitwinkellinse, 28 x 35 cm *(wide-angle lens, 28 x 35 cm)*

1998, Galerie Mehdi Chouakri, Berlin, Trennvorhang aus Klarsichtfolie, 250 x 500 cm *(dividing curtain made of cellophane, 250 x 500 cm)*

statistika *

Die Anzahl der Setzungen, die der Gast in den Settings von Rockenschaub durchwandert, ist gering. Sie bilden die Negativform für etwas, das unsichtbar bleibt. Hätte hier etwas stattgefunden, dann wären die Spuren perfekt verwischt worden. Eher liegt in dem Ambiente die Erwartung auf etwas, das noch stattfinden wird, das vielleicht aufgeschoben werden mußte.

Doppelbelichtung

Der erste Eindruck eines minimalistischen Gestus wird durch eine pralle Farbigkeit und merkwürdig mitschwingende Metaphorik gebrochen. Die in unterschiedlicher Form auftretende Gleichzeitigkeit scheinbar entgegengesetzter bis hin zu sich widersprechenden Gesten: das Setzen von Vorgaben und deren gleichzeitige Zurücknahme, ein Pendeln zwischen Zeigen und Nichtzeigen, sind in Rockenschaubs Arbeit immer wiederkehrende Figuren. Dieser möchte ich mich mit dem Begriff der Doppelbelichtung annähern.

Liest man diese als Metapher, dient sie dazu, zwischen den beiden „Belichtungen" einen Raum zu erzeugen, in dessen double-bind sich die Verführung einnistet. Der Betrachter bekommt das Objekt der Begierde in diesem Spalt nicht zu fassen.

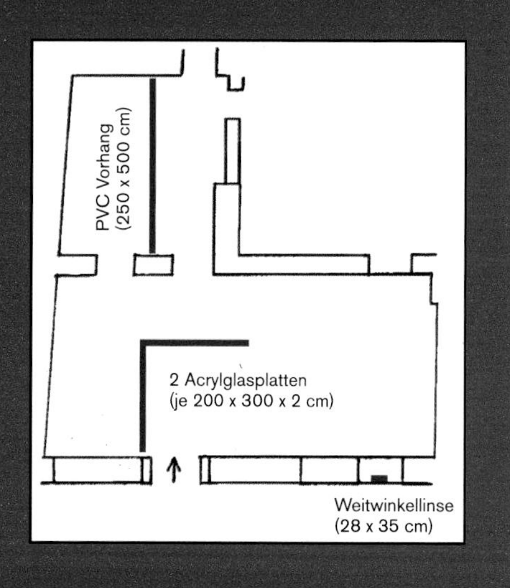

Gleichzeitig zeigt sich dieser Vorgang von außen betrachtet wiederum als Einblick in die Werkzeugkiste der Geheimnisproduktion.

Augensex ***

Optischer taucht Doppelbelichtung als Schichtung des Sichtbaren in Form verschieden scharfer, dem Blick vorgeschobener Ebenen auf. Sei es durch milchfarbene Paravents, die nur noch erahnen lassen, was sich dahinter befindet, gefärbte Plexiglasscheiben, sich wellende Plastikvorhänge oder Glas, auf dem Spiegelungen das Dahinter überlagern.

1998, Galerie Mehdi Chouakri, Berlin, 2 Acrylglasscheiben mit roten Sichtstreifen, 3 Stahlständer, 202 x 311 x 311 cm *(2 acrylic glass plates, red tape, 3 steel stands, 202 x 311 x 311 cm)*

Die Durchblicke koordinieren die Distanz zu den Dingen, die zudem weniger als solche erscheinen und in ein Zwielicht hinübertreten. Das Halten oder Vorgeben von Distanz wird dabei gleichzeitig auf eine metaphorische Ebene (Vorhang, Zelle, Brücke, Mauer usw) übertragen.

Rückblende und Übersetzung

Im Sommer 1995 tanzte ich glücklich auf einer beim Lido vor der Kulisse des nächtlichen Venedig Kreise drehenden Autofähre. Da Rockenschaub hinter dem DJ-Pult stand, tauchten dessen frühe Arbeiten aus meiner Erinnerung auf. Vor allem sah ich auf meinem inneren „Schirm" ****, Plexiglasscheiben, hinter denen nichts außer der Wand, auf die sie geschraubt waren, zu entdecken war. Rahmen, deren Inhalt offen blieb, in dem er auf einen weiteren Rahmen verwies.

Auf der bewegten Parkfläche tanzend sah ich einen vom Steuermann der Fähre dirigierten Film, der eine ungeschnittene Fahrt aus Perspektiven auf das nächtliche Venedig zeigte.

Was die von Rockenschaub zusammen mit Matta Wagnest organisierte Party mit den Plexi-Arbeiten der achtziger Jahre zu tun hat, wurde mir erst später klar. In beiden Fällen geht es in sehr unterschiedlicher Form um das Abstecken eines Rahmens, der dem Betrachter/Benutzer als Möglichkeit zur Verfügung gestellt wird.

Schon der Titel der Party, ‚The cybernetic big bang', spielt dabei auf das große Versprechen des Cyberspace an, sich selbst zusehen zu können.

Was sich in den jüngeren Arbeiten Rockenschaubs verdichtete, ist der Versuch einer Übersetzung des Wissens, das sich im Bereich elektronischer Musik und vor allem dem sich dabei verschiebenden Selbstverständnis der Autorenschaft entwickelt hat. Es geht weniger darum etwas vorzuführen, als einen Raum zur Verfügung zu stellen, ein Angebot zu machen.

Icon-artige Computerzeichnungen von Plattenspielern oder Partyvideos verweisen auf diesen Hintergrund. Es geht aber nicht um einen direkten Import, sondern um einen komplexen Transformationsprozeß aus einem kulturellen Feld in ein anderes. Rockenschaub versucht nicht, Clubkultur in der Galerie abzubilden, geschweige denn diese in einen Club zu verwandeln. Zwar entsteht gelegentlich die Anmutung einer Chill-out-Zone, nur kann diese als solche nicht verwendet werden.

Nachvollziehbar wird dieser Übersetzungsprozeß auch durch Rockenschaubs trockene, im Stil einer Bedienungsanleitung gehaltene Texte über das Auflegen von Platten. Dinge geschehen nicht, sondern folgen einer Logik.

moving images without tears *

Rockenschaub arbeitet nicht daran, vorgefundene Rituale und Mechanismen außer Kraft zu setzen. Dieser Aspekt tritt nur als ein dialektisches Moment in einer Kette auf. Vor allem affirmiert die Arbeit vorgefundene Bedingungen, meist eines Galerieraumes. Die Betonungen des Gesetzes gruppieren sich um auf verschiedenen Ebenen

▲ **1998**, Neues Museum Weimar, 2 Acrylglasscheiben mit gelben Sichtstreifen, 3 Stahlständer, 202 x 311 x 311 cm *(2 acrylic glass plates, yellow tape, 3 steel stands, 202 x 311 x 311 cm)*

wirksame Auslassungen, die Arbeit der Anwesenheit des Abwesenden. Man könnte ihm dabei ein lustvolles Spiel unterstellen, aber das scheint es nur bedingt zu sein. Die Motive – Rockenschaub erklärt dazu nur, es handle sich um Lösungen von an ihn herangetragenen Aufgaben – müssen auch im Dunkel des blinden Flecks bleiben.

Innerhalb dieser verführerischen Dialektik sieht sich der Betrachter mit der Leere konfrontiert, in die ihn der Künstler laufen läßt. Das temporäre Vakuum ruft ihn als Subjekt auf, was aber eben nicht durch die Konstruktion eines von Verhältnissen der Macht befreiten Raumes geschieht. Vielmehr resultiert die Subjektivierung oder der Schwenk in die Wahrnehmung der eigenen Perspektive aus einer Wiederholung der sich in den Betrachter einschreibenden hegemonialen Verhältnisse. Dabei hinterläßt der Regisseur des sich ständig nach außen stülpenden Settings bewußt Auslassungen, welche die Wirksamkeit der Kette verdrehen.

*Titel von Tracks auf Rockenschaubs CD ‚definitely something 04'.

** Die beschriebene Installation befand sich im Winter 1998 in der Galerie Medhi Chouraki in Berlin.

*** Das Wort Augensex ließ Rockenschaub anläßlich der Wiener Festwochen auf ein Plakat drucken.

**** Ein von Oswald Wiener im Zusammenhang von Selbstbeobachtung und Künstlicher Intelligenz geprägter Begriff.

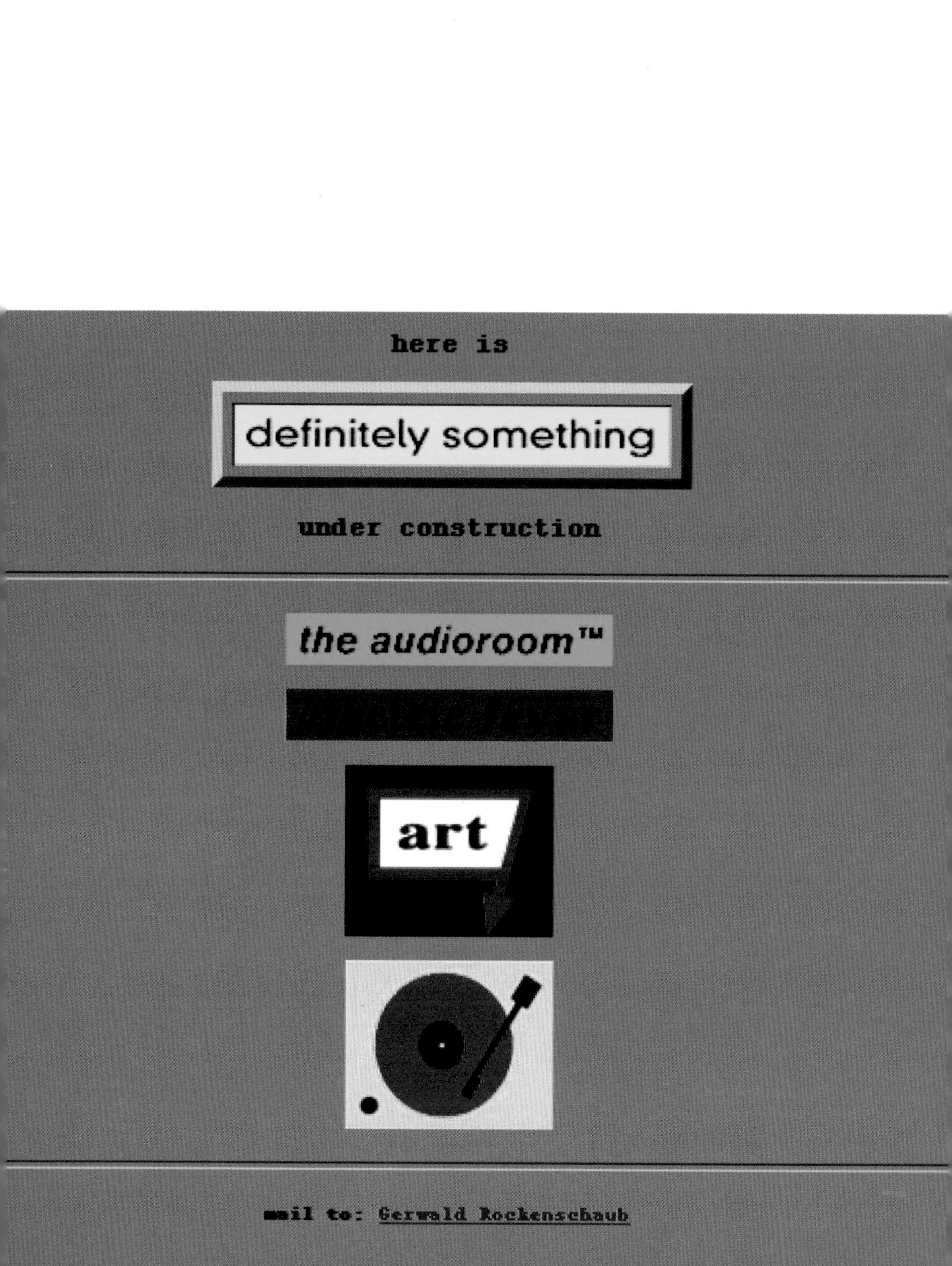
here is
definitely something
under construction
the audioroom™
art
mail to: Gerwald Rockenschaub

Hans-Christian Dany

Don't go to the phone

Abstand *

Being a seducer always requires a certain reflection and purposefulness. A seducer thus needs to have power. As soon as this power is given to him, the aesthetic interest becomes a different one, specifically: an interest in the how, in the method. A loose rendition of Søren Kierkegaard.

Arrival

I had been walking some distance through the snow when I opened the door. Looking into a place of business in this branch, the glance is usually directed first to the things on the wall or a merchant, if in sight, and his helpers, busy with telephone receivers and keyboards, who generally nod briefly. Here there was neither one nor the other to be seen at first.

Distance **

With its large window front, the shop appeared just as empty as full. A contradictory impression, which I was yet to encounter frequently in Gerwald Rockenschaub's work. My gaze was directed first to a red line that seemed to run horizontally through the room at eye level. I noticed that the line was situated on a plate of glass placed at an angle to the entrance. Thus its function was to protect those entering from being injured and its carrier from being destroyed. Aside from that, it seemed sensible to install two in winter, for there was a second plate of glass placed at a right angle, in order to block the cold draft.

Function

Liberated from the weight of meaning through its function, the installation allowed the red ribbon to float easily in the air. The art, which was to be expected in these rooms, stepped politely back and looked good. Positioned as a draft protector, the sculpture forced my steps to the right.

little projector *

On the way to two passages located in the back wall of the room, which indicated possible rooms in the back, there was a wide angle lens hanging in the window, like the kind bus drivers use to magnify their rear view mirrors. This drew my gaze again to the street I had just left. Through the perspective-distorting visual aid, I could see figures scurrying through the twilight, while I myself stepped for a moment onto a stage framed by the lighted window. This programmed gaze and the appearance connected with it symbolically repeated a change of systems that had physically taken place as I crossed the threshold. The visual aid was transformed into a signpost; there were different traffic regulations in force here.

get personal *

The frequent use of the first person in this text might create the impression that I want to make my observations from an especially personal point of view; this is not my intention. Yet in conjunction with Rockenschaub's work, focusing on my perspective, which could just as well be the perspective of another, seems to be necessary because his work throws the observer back on him or herself to a great extent. By simultaneously retracting and urging actions, it compels a self-observation of one's own gaze and movements in space.

Initially I attempted to translate this perception into words by writing in the present tense. In the process I became aware that self-observation first crystallized in retrospect.

Once Upon A Time In The West

When I began writing this text, I borrowed one of Rockenschaub's favorite films from him, Sergio Leone's "Once Upon A Time In The West." At first, this did not seem to further my intention of writing about the relation between Rockenschaub's work and film. I left the tape playing and went out of the room. When I returned to the room two hours later, there was a different film playing at the end of the tape. It was an elaborately produced animal film attempting to imitate the perspective of a bird. It virtually stepped into the body of an Other looking at its own false feet or claws.

give your color monitor a reason to live *

Generating a gaze, that of the observer, precedes nearly every one of Rockenschaub's works. It is a digital black & white film that the visitor to the gallery does not see, but instead enters into a model copy of it. Using a mini-CAD program Rockenschaub first makes a virtual reconstruction of the exhibition space and animates the placement of objects, interventions and remodelings. He checks the accuracy of the placement on the basis of trails simulating the observer's path. In these graphical films Rockenschaub imitates the observer's perspective. In a sense, he tries in this way to become the director of the observer's perception in the exhibition.

statistika *

The number of placements that the guest in Rockenschaub's settings wanders through is limited. They result in the

► **1995**, Trabant, Vienna, Flyer

negative form of something that remains invisible. If something had taken place here, then the traces would have been perfectly erased. Instead the atmosphere has an air of expectation of something that has yet to take place, something that possibly had to be postponed.

Double Exposure

The first impression of a minimalist gesture is broken by the abundant colorfulness and a metaphor with a strange sympathetic vibration. The simultaneity, emerging in varying forms, of seemingly opposite, if not contradictory gestures: setting preconditions and simultaneously retracting them, swinging back and forth between showing and not-showing, these are continuously recurring figures in Rockenschaub's work. These are what I want to move closer to with the term double exposure.

If one reads this as a metaphor, it serves to create a space between the two "exposures," and it is in the double-bind of this space that seduction nestles. The observer cannot get hold of the object of desire in this crack. At the same time, however, looking at this procedure from the outside shows it to be an insight into the toolbox of the production of secrets.

Augensex ***

Double exposure appears more optically as a layering of the visible in the form of various, more focused levels inserted in front of the gaze. They may be milk-colored screens, where one can only guess what may be hidden behind them, colored plates of acrylic glass, billowing plastic curtains or glass, on which reflections veil what is behind.

Insights coordinate the distance to the things, which also seem less than what they are and cross over into twilight. At the same time, maintaining or prescribing distance is transferred to a metaphorical level (curtain, cell, bridge, wall, etc.).

Flashback and Translation

In the summer of 1995 I was happily dancing on a car ferry circling the Lido before the backdrop of Venice at night. Rockenschaub at the DJ table called his early works to

*mind. Most of all, on my inner "screen" **** I saw acrylic glass plates with nothing to see behind them but the wall they were attached to. Frames, in which the contents remained unspecified by indicating another frame.*

Dancing on the moving parking space, I saw a film directed by the helmsman of the ferry showing an uncut journey from perspectives of Venice at night.

It was only later that I realized what the party, jointly organized by Rockenschaub and Matta Wagnest, had to do with acrylic glass works from the eighties. What is involved in both cases is the demarcation of a frame, which is placed at the disposal of the observer/user as a possibility.

▲ **1996**, The New York Kunsthalle, Flyer
▼ **1997**, The Audioroom, Vienna, Flyer

1998, „The Audioroom“, WUK, Wien

Even the title of the party, "The Cybernetic Big Bang," was a play on the grand promise of cyberspace of being able to watch oneself.

What has condensed in Rockenschaub's more recent works is the attempt at a translation of the knowledge that has developed in the area of electronic music and especially the shifting self-understanding of authorship this involves. It is less a matter of presenting something than of providing a space, making an offer.

This background is indicated by icon-like computer drawings of record players or party videos. Yet what it involves is not a direct import, but rather a complex transformation process from one cultural field into another. Rockenschaub does not attempt to depict club culture in a gallery, much less turn the latter into a club. Although a sense of chill-out zone occasionally emerges, it cannot be used as such.

This translation process is also made comprehensible through Rockenschaub's dry texts about playing records, written in the style of operating instructions. Things do not happen, rather they are logical consequences.

moving images without tears *

Rockenschaub does not work at disabling existing rituals and mechanisms. This aspect only emerges as a dialectical moment in a chain. Primarily the work affirms existing conditions, usually of a gallery space. The emphases of law are grouped around omissions that are effective on different levels, the work of the presence of the absent. One might suspect him of playing a pleasurable game, but that only seems to be part of it. The motives—and according to Rockenschaub it only involves solutions to tasks that have been presented to him—must remain in the darkness of the blind spot.

Within this seductive dialectic, observers find themselves confronted with the emptiness, which the artist lets them run right into. The temporary vacuum invokes the observer as a subject, yet this specifically does not happen through the construction of a space liberated from relationships of power. Subjectification, or panning into the perception of one's own perspective, is instead the result of a repetition of the hegemonial relations inscribing themselves into the observer. At the same time, the director of the setting that is constantly turning inside out consciously leaves omissions behind, which reverse the effectivity of the chain.

* *Titles from tracks on Rockenschaub's CD "definitely something 04"*
** *The installation described was located at the Galerie Medhi Chouraki in Berlin in the winter of 1998.*
*** *Rockenschaub had the word "Augensex" ("Eyesex") printed on a poster for the Vienna Festival.*
**** *A term coined by Oswald Wiener in conjunction with self-observation and artificial intelligence.*

(Translation: Aileen Derieg)

Biographien (Biographies)

Hans-Christian Dany

Hans-Christian Dany ist Künstler, Mitbegründer von „Unser Fernsehsender" (UTV), Mitherausgeber des Buches „dagegen dabei" (1998) und der Zeitschrift „Starship". Schrieb zuletzt in „springerin", „Park", „de:bug", „Texte zur Kunst". Stellte zuletzt in der Halle für Kunst (Lüneburg), im Schnittraum (Köln) und in der Shedhalle (Zürich) aus. Arbeitet momentan an seinem ersten Roman. Lebt in Hamburg.

Hans-Christian Dany is an artist; co-founder of "Unser Fernsehsender" (UTV), co-editor of the book "dagegen dabei" (1998) and the magazine "Starship." Most recently he has written for "springerin," "Park," "de:bug," "Texte zur Kunst" and has exhibited at Halle für Kunst (Lüneburg), Schnittraum (Cologne) and the Shedhalle (Zurich). He is currently working on his first novel, and he lives and works in Hamburg.

Joshua Decter

Joshua Decter, unabhängiger Kurator, Kritiker und Theoretiker, ist regelmäßiger Mitarbeiter bei Artforum, Flash Art International, Purple Prose (Paris) und Siski (Helsinki/Stockholm). Neuere kuratorische Projekte: „Exterminating Angel", Galerie Ghislaine Hussenot (Paris, 1998); „Heaven: Private View/Public View", PS 1 Center for Contemporary Art (New York), 1997–98); „a/drift", Center for Curatorial Studies Museum at Bard College (New York, 1997); „Screen", Friedrich Petzel Gallery (New York, 1996); und „Don't Look Now", Thread Waxing Space (New York, 1994). Er ist Autor zahlreicher Katalog-Beiträge und hält weltweit Vorträge. Decter organisiert zur Zeit ein Projekt mit dem Titel „Transmute" für das Museum of Contemporary Art in Chicago, das im April 1999 realisiert wird. Dabei ist die Öffentlichkeit eingeladen, innerhalb eines interaktiven Territoriums als virtuelle Kuratoren zu agieren. Decter entwickelt gerade ein neues Programm für kuratorische Praxis/Studien am Art Center College of Design, Pasadena.

Joshua Decter, an independent curator, critic and theorist, is a regular contributor to Artforum, Flash Art International, Purple Prose (Paris), and Siksi (Helsinki/Stockholm). His recent curatorial projects have included "Exterminating Angel" at Galerie Ghislaine Hussenot (Paris, 1998); "Heaven: Private View/Public View" at PS 1 Center for Contemporary Art (New York, 1997-98); "a/drift" at the Center for Curatorial Studies Museum at Bard College (New York, 1997); "Screen" at the Friedrich Petzel Gallery (New York,

1996); and "Don't Look Now" at the Thread Waxing Space (New York, 1994). He has authored numerous museum catalogue essays, and has lectured internationally. Decter is organizing a project for the Museum of Contemporary Art in Chicago entitled "Transmute," opening in April 1999, which invites the public to function as virtual curators within an interactive territory. Decter is currently developing a new program for curatorial practice/studies at the Art Center College of Design, Pasadena.

Peter Fend

Als biographischer Hintergrund: Ich kenne dieses Bedürfnis aus eigener Erfahrung. 1986 bekam ich den Auftrag, im US Congress Office of Technology Assessment (Büro zur Beurteilung technologischer Entwicklungen) einen Bericht über technologische Alternativen und Richtungen vorzulegen. Eine solche Aufgabe sollte meiner Einschätzung nach verpflichtend sein für alle, die sich in der „Kunstwelt" bewegen.

For biographical background on Peter Fend: I know this need personally. I was commissioned in 1986 to file a report on technology choice and direction by the US Congress Office of Technology Assessment. Such an act, I believe, should be customary for persons in what is now called the "art world."

Stephan Schmidt-Wulffen

Geboren 1951. Studium der Theoretischen Sprachwissenschaften, Philosophie in München, Köln, Konstanz, der Kommunikationswissenschaften in Wuppertal; Promotion 1987; 1988 tätig als Kunstkritiker. 1988–92 Dozent an der Hochschule für Bildende Künste Hamburg; seit 1995 Professor für Kunsttheorie ebendort; seit 1992 Direktor des Kunstvereins in Hamburg. Ausstellungen (u.a.): „Gegendarstellung – Ethik und Ästhetik im Zeitalter von Aids" (1992), „backstage" (1993), „wunderbar" (1996), „west/arp" (1996), „fast forward" (1998/99). Publikationen (u.a.): Spielregeln, Köln 1987; „Kunst ohne Publikum", in: W. Kemp (Hg.), Zeitgenössische Kunst und ihre Betrachter, Köln 1996; „Der Adler im Tiefflug", in: Hamburger Kunsthalle (Hg.), Family Values, Hamburg 1997; Stephan Huber (Hg.), „In Situ Arbeiten", München, 1998.

Born 1951. Studied Theoretical Linguistics and Philosophy in Munich, Cologne, Konstanz, and Communications in Wuppertal. PhD 1987. Art critic; 1988–92 Lecturer at the Hochschule für Bildender Künste Hamburg, since 1995 Professor of art theory. Since 1992 Director of the Kunstverein in Hamburg.Exhibitions (selected): "Gegendarstellung - Ethik und Ästhetik im Zeitalter von Aids" (1992), "backstage" (1993), "wunderbar" (1996) "west/arp" (1996), "fast forward" (1998/99) Publications (selected): Spielregeln, Cologne 1987; "Kunst ohne Publikum", in: W. Kemp (Ed.), Zeitgenössische Kunst und ihre Betrachter, Cologne 1996; "Der Adler im Tiefflug", in: Hamburger Kunsthalle (Ed.) Family Values, Hamburg 1997; Stephan Huber (Ed.) "In Situ Arbeiten" Munich, 1998.

Gerwald Rockenschaub

Biografie (Biography)

geboren 1952 (born 1952)
lebt und arbeitet in Wien (lives and works in Vienna)

Einzelausstellungen (Solo Exhibitions)

1984
Galerie nächst St. Stephan, Wien
Galerie Munro, Hamburg

1985
Galerie Susanna Kulli, St. Gallen
Galerie Paul Maenz, Köln
Galerie Tanja Grunert, Köln

1986
Galerie nächst St. Stephan, Wien
Galerie Vera Munro, Hamburg

1987
Barbara Gladstone Gallery, New York
Galerie Paul Maenz, Köln
Galerie 121, Antwerpen

1988
Anders Tornberg Gallery, Lund
Galerie Vera Munro, Hamburg
Galerie Luis Campana, Stuttgart
Galerie Sylvana Lorenz, Paris
Galerie Susanna Kulli, St. Gallen

1989

Galerie nächst St. Stephan, Wien
Galerie Paul Maenz, Köln
Michael Kohn Gallery, Los Angeles
Interim Art, London
Artelier, Graz

1990

Galerie Walcheturm, Zürich
Galerie Vera Munro, Hamburg

1991

Galerie Metropol, Wien
Kunsthalle Innsbruck II
Kunstmuseum Luzern
Galerie Susanna Kulli, St. Gallen
EA-Generali Foundation, Wien
Plakate für Austrian Airlines, museum in progress, Wien

1992

Galerie Massimo Minini, Brescia
Gilbert Brownstone Gallery, Paris
Villa Arson, Nice
Elizabeth Koury Gallery, New York

1993

45. Biennale di Venezia, Österreichischer Pavillon
(mit Andrea Fraser und Christian Philipp Müller)
Galerie Metropol, Wien
Bundeskanzleramt, Wien

1994

Galerie Stadtpark, Krems
Galerie Walcheturm, Zürich
Secession, Wien

1995

O.Ö. Landesgalerie, Museum Francisco-Carolinum, Linz
Galerie Susanna Kulli, St. Gallen

1996

Galerie Susanna Kulli, St. Gallen

1997

Galerie Mehdi Chouakri, Berlin

1998

Chicago Project Room

Galerie Vera Munro, Hamburg

Hauser & Wirth & Presenhuber, Zürich

Galerie Mehdi Chouakri, Berlin

1999

Funky Minimal, Kunstverein in Hamburg

Funky Minimal, Le Consortium, Dijon

Georg Kargl, Wien

Gruppenausstellungen (Group Exhibitions)

1981

Forum Stadtpark, Graz (mit Herbert Brandl)

Secession, Wien, Clubgalerie (mit Herbert Brandl)

1982

Dort ist ein Fels, des hohe steile Klippe furchtbar hinabschaut in die jähe Tiefe, Galerie Peter Pakesch, Wien

1983

Junge Künstler aus Österreich, Galerie nächst St. Stephan, Wien; Galerie Krinzinger, Innsbruck

Woher sind wir wieso gekommen, Klapperhof, Köln

1984

Arte Austriaca 1962–1984, Galleria d'Arte Moderna, Bologna

Zeichen, Fluten, Signale, Galerie nächst St. Stephan, Wien

1985

Alles und noch viel mehr, Kunstmuseum und Kunsthalle Bern

Iterativismus, Galerie Zwirner, Köln

Weltpunkt Wien. Un regard sur Vienne: 1985, Pavillon Josephine, Strasbourg

1986

Origins, Originality + Beyond, The Sixth Biennale of Sydney
Geometria Nova, Kunstverein München
Barbara Gladstone Gallery, New York
Signs of Painting, Metro Pictures, New York
Abstraits, Le Consortium, Dijon
Tableaux abstraits, Villa Arson, Nice

1987

The Image in Singular, Galerie Amer, Wien
Aktuelle Kunst aus Österreich, Museum van Hedendaagse Kunst, Gent
Im Lauf der Zeichnung, Secession, Wien

1988

Schlaf der Vernunft, Museum Friedericianum, Kassel
In Situ, Secession, Wien
Freizone Dorotheergasse, Wien

1989

Melencolia, Galerie Grita Insam, Wien
Österreichischer Kunstsalon, Kulturhaus Graz
Biennale São Paulo

1990

Raum annehmen III. Das Zeichnen, Galerie Grita Insam, Wien
Wien auf der Suche nach Eden, Museum für Kunst und Geschichte, Freiburg
Vienne aujourd'hui, Musee de Toulon
Un art de la distinction, Abbaye Saint Andre, Meymac
Marcus Geiger, Brigitte Kowanz, Gerwald Rockenschaub, Galerie Ulrike Zumtobel, Wien

1991

Bildlicht – Malerei zwischen Material und Immaterialität, Museum des 20. Jahrhunderts, Wien
Topographie I, Wiener Festwochen

1992

Di Plastica, Galeria Monica de Cardenas, Milano
Identität : Differenz, Tribüne Trigon 1940–1990, Steirischer Herbst, Graz
Das offene Bild – Aspekte der Moderne in Europa nach 1945, Westfälisches Landesmuseum, Münster

1993

Ecart, Galerie Susanna Kulli, St. Gallen
Spiel ohne Grenzen, Museum für moderne Kunst, Budapest
Making Art, Kunstverein für Kärnten; Klagenfurt
KontextKunst, Steirischer Herbst, Graz
Backstage, Kunstverein in Hamburg

1994

Backstage, Kunstmuseum Luzern
Villa delle Rose, Bologna
Die Moderne oder die Überwindung eines Begriffs, Heiligenkreuzerhof, Wien
Kicking Boxes Billiard, Graphische Sammlung der ETH Zürich
Jetztzeit, Kunsthalle Wien
Jetztzeit, Stichting De Appel, Amsterdam

1995

En passant, Akademie der Bildenden Künste, Wien
En passant, Kunstverein in Hamburg
On Board, Venezia
Colour and Paint, Kunstmuseum St. Gallen
White Cube / Black Box, EA-Generali Foundation, Wien

1996

Manifesta, Rotterdam
Junge Szene 96, Secession Wien
Compartments, København
29' – 0"/East – das Labor, The New York Kunsthalle
Fast Nichts – Almost Invisible, ehemaliges Umspannwerk Singen
Are You Talking To Me, Specta, København
Oasis, Bricks & Kicks, Wien
The Great Divide, Bricks & Kicks, Wien
Jenseits von Kunst, Ludwig Museum Budapest
Malerei in Österreich, Künstlerhaus Wien
Trois collections d'artistes, Musee des Beaux Arts, La Chaux-de-Fonds

1997

Little Explorers, W139, Amsterdam
504, Zentrum für Kunst, Medien und Design, Braunschweig
GS1, Galerie Mehdi Chouakri, Berlin
Strange Encounters, Bricks & Kicks, Wien
Little Explorers, Bricks & Kicks, Wien

Kunst der Gegenwart, Museum für Neue Kunst, ZKM, Karlsruhe
Kunst...Arbeit, Sammlung Südwest LB, Stuttgart
Musterwohnen, Behrenstraße 28, Berlin

1998
Seamless, Stichting De Appel, Amsterdam
Odyssey, Greene Naftali, New York
Das Jahrhundert der künstlerischen Freiheit, Secession, Wien
Submit, Bricks & Kicks, Wien
Crossings, Kunsthalle Wien
Fotografie als Handlung, 4. Internationale Foto-Triennale Esslingen
Lifestyle, Kunsthaus Bregenz
Georg Kargl, Wien
The Erotic Sublime, Galerie Ropac, Salzburg
Sharawadgi, Felsenvilla, Baden
The End Is The Beginning, Bricks & Kicks, Wien

1999
Auffrischender Wind aus wechselnden Richtungen, Neues Museum Weimar
Face To Face, Galerie Mehdi Chouakri, Berlin

Bibliografie (Bibliography)

Kataloge – Auswahl (Catalogues – Selection)

„Gerwald Rockenschaub", Galerie nächst St. Stephan, Wien 1984
„Gerwald Rockenschaub", Galerie nächst St. Stephan, Wien 1986
„Gerwald Rockenschaub", Galerie Luis Campana, Wien–Stuttgart 1988
„Gerwald Rockenschaub", Biennale São Paulo, Bundesministerium für Unterricht und Kunst, Wien–São Paulo 1989
„Gerwald Rockenschaub", Verlag Munro Unverzagt, Hamburg 1990
„Gerwald Rockenschaub", Galerie Metropol Wien – Kunstmuseum Luzern, 1991
"Stellvertreter, Representatives, Rappresentanti, Andrea Fraser, Christian Philipp Müller, „Gerwald Rockenschaub", Österreichischer Beitrag zur 45. Biennale von Venedig 1993
„Gerwald Rockenschaub, Kunst – Kontext – Kritik", Wiener Secession, Wien 1994
„Gerwald Rockenschaub", OÖ Landesgalerie, Linz 1995
„Gerwald Rockenschaub, Im Rahmen der Ausstellung – Künstlergespräch", Galerie Susanna Kulli, St. Gallen 1997

Bücher und Zeitschriften – Auswahl (Books and Magazines – Selection)

Markus Brüderlin: „Mein Name ist Rockenschaub, ich bin Maler", in: Falter 10/1984, S. 24
Horst Christoph: „Öl, pur", in: Profil Nr. 23, 23.1.1984, S. 56; und in: Kunstforum International 76, Nov.–Dez. 1984, S. 168
Ursula Frohne: „Secret Skills", in: Flash Art 119, Nov. 1984, S. 28–33
„Alles und noch viel mehr. Das poetische ABC", G. J. Lischka (Hg.), Benteli: Bern 1985, S. 363–367, 1001
Ecke Bonk: „Gerwald Rockenschaub. Spiel-Regel-Spiel", in: Wolkenkratzer Art Journal, April/Mai 1985, S. 50
Markus Brüderlin: „Jugend Geometry", in: Flash Art 125, Dez. 1985/Jan. 1986, S. 32–35
D. F.: „Gerwald Rockenschaub", in: Juliet Art Magazine 23, Dec. 1985/Jan. 1986, S. 28
Helena Kontova, Giancarlo Politi: „Due Italiani a New York", in: Flash Art 130, Dez. 1985/Jan. 1986, S. 38–42
„Weltpunkt Wien", Robert Fleck (Hg.), Löcker: Wien–München 1985
Ruth Händler: „Zeichen, Fluten und Signale", in: Art 2, Feb. 1986
Christian Besson: „Tableaux Abstraits", in: Art Press 106, Sept. 1986, S. 16–17; und in:

Tableaux Abstraits (Kat.), Villa Arson: Nice 1986, S. 10–15
Markus Brüderlin: „Augensex, oder die Sinnlichkeit der Zeichen", in: Geometria Nova. Federle – Armleder – Mullican – Rockenschaub, Kunstverein München: 1986, S. 57–59
Markus Brüderlin: „Sex for the eye, or the Sensuality of Signs", in: „Origins Originality + Beyond", The Biennial of Sydney, 1986, S. 242
Markus Brüderlin: „Wiener Frühling", in: Kunstforum International 85 (= „Kunst und Wissenschaft"), Sept./Okt. 1986, S. 230–237
Markus Brüderlin: „Postmoderne Seele und Geometrie. Perspektive eines neuen Kunstphänomens", in: Kunstforum International Vol. 86 (= „Postmoderne Seele und Geometrie"), Nov./Dez. 1986, S. 80–143
Kaspar Kiefer: „Gerwald Rockenschaub. Visuelle Rätsel", in: Noema 9, 1986, S. 52–59
Donald Kuspit: „New Geo and Neo Geo", in: Artscribe International 59/1986, S. 22–25
Demetrio Paparoni: „Ideologia ed autoliberazione", in: Tema Celeste 9/1986, S. 27–29
Markus Brüderlin: „Neue Abstraktionen, eine österreichische Chance?", in: Kunstforum International 89 (= „Insel Austria"), Mai/Juni 1987, S. 91ff.
„Schlaf der Vernunft", Museum Fridericianum Kassel (21. Feb. – 23. May 1988)
Markus Brüderlin: „Augensex", ibid., S. 129ff.
Demetrio Paparoni: „Geometrismo post-pittorico", in: Tema Celeste 10/1987, S. 23–27
Markus Brüderlin: „Gerwald Rockenschaub", in: In Situ. Junge Kunst aus Wien, CH und BRD, Wiener Secession: Wien 1988, S. 15f.
Ulrike Moser: „(Re)Mix, Hiphop, Sampling – Inszenierung, Gerwald Rockenschaub", in: Parnaß 6/88, S. 26–33
Peter Gorsen: „Zwischen Ornament und Zeichen", in: FAZ, 19. 8. 1988
Peter Mahr: „Situierung gegen Ornament", in: Falter 33/1988; und in: Kunstforum International 96, Aug–Okt. 1988, S. 274 („In Situ")
Catherine Grout: „Gerwald Rockenschaub", Galerie Sylvana Lorenz, in: Art Press 130, Nov. 1988, S. 78
Andreas Vowinckel: „Brennpunkt Wien. Ein Zeitschnitt zwischen Mythos und Realität", in: Brennpunkt Wien. Positionen eines Aufbruchs, Bonner Kunstverein und Badischer Kunstverein Karlsruhe, 1988/89, S. 12–17
Olivier Zahm: „Gerwald Rockenschaub. Monochrome et Fibre Optique", in: New Art International, Jan. 1989, S. 46
Peter Mahr: „Hundertzehn Prozent", in: Falter 16/1989, S. 13
Helmut Draxler: „Die Optik der Objekte", in: Noema, Sonderheft 1, April 1989, S. 2–6
Peter Mahr: „Gerwald Rockenschaub. Bilder nach der Geometrie", in: Artis 6/1990, S. 36–39
Johanna Hofleitner: „Gerwald Rockenschaub. Introspective", in: Vienne Aujour d'hui, Musée de Toulon 1990
Robert Fleck: „New Austrian Art. Solitude and Isolation in a Post-Fascist System", in: Flash Art 153, Summer 1990, S. 106–109
„Un art de la distinction", Abbaye Saint-André, Centre d´Art Contemporain, Meymac (7. 7. – 14. 10. 1990)

„Auf der Suche nach Eden", Musée d'Art et d'Histoire de Fribourg (27. 4. – 17. 6. 1990)
Markus Brüderlin: „Gerwald Rockenschaub: Homöopathische Strategien im Stoffwechsel der Ästhetiken", in: Kunst-Bulletin 1/1991, S. 18–29
Ulli Moser: „Auf der Suche nach der Fülle in der Leere – Gerwald Rockenschaub in der Galerie Metropol", in: Parnass 1/1991, S. 106
Doris Krumpl im Gespräch mit Gerwald Rockenschaub: „Ich bin ein fauler Mensch", in: Falter 7/1991, S. 12
Johanna Hofleitner: „Gerwald Rockenschaub, in: Noema 35, 1991
„Bildlicht", Museum des 20. Jahrhunderts: Wien 1991
Markus Brüderlin: „Gerwald Rockenschaub", Kunstmuseum Luzern, 1991, in: Artforum International XXX, 1, Sept. 1991, S. 147
Frank Perrin: „Gerwald Rockenschaub, Villa Arson", in: Flash Art 165, Summer 1992, S. 120
Mauro Panzera: „Gerwald Rockenschaub", in: Juliet Art Magazine 58, Juni 1992, S. 30f.
Martin Schwander: „Das Kunstmuseum Luzern", in: Artis, Juni 1992, S. 26ff.
Thomas Wulffen: „Vom System zum Paradigma; Das Werk des G. Rockenschaub", in: Forum International, Nov./Dez. 1992
Ulli Moser: „Mit Zynismus hat das nichts zu tun", in: Kurier, 6. 7. 1992, S. 12
Christian Kravagna: „Nice – Villa Arson", in: Artforum International, Feb. 1993, S. 108f.
Thomas Wulffen: „Gerwald Rockenschaub", in: Kunstforum International 125, Jan./Feb. 1994
Christoph Schenker: „Ein Gespräch mit Gerwald Rockenschaub", in: Kunstbulletin, April 1994
Harald Krämer: „Der Zunft ihren Gerwald. Der Kunst ihre Freizeit.", in: Eikon 10–11/94, S. 109f.
Sabine Vogel: „Wiener Secession – Gerwald Rockenschaub", in: Artis Okt./Nov. 1994
Wulffen, Thomas: „Gerwald Rockenschaub – The System´s Boundaries", in: Flash Art 178, Okt. 1994, S. 79f.
Sabine Vogel: „G. Rockenschaub – Secession", in: Artforum International 4/1994, S. 92f.
Hans-Ulrich Obrist im Gespräch mit Gerwald Rockenschaub „Inmitten der Dinge im Zentrum von Nichts", in: Transit – Europäische Revue 11, Sommer 1996, S. 153–161
Anselm Wagner: „Die Entmythogoisierung des White Cube", Noema 41, 1996, S. 28–43
Paolo Bianchi: „Als DJ liefere ich Sex für die Ohren und als bildender Künstler Augensex", in: Kunstforum 135, Okt. 96/Jan 97
Markus Huemer: „Phantasia – Zum Werk von Gerwald Rockenschaub", in: Parnass 4/97
Knut Ebeling: „Bitte Platz nehmen!", in: Der Tagesspiegel, 19. 7. 1997
„Kunst im Abseits? / Art in the center, Zwei Gespräche zur / Two discussions on documenta X", Peter Noever (Hg.), MAK: Wien – Cantz: Stuttgart 1997, S. 24f.
Gerrit Gohlke: „Gerwald Rockenschaub – Galerie Mehdi Chouakri, Berlin", in: Springer III/3, Okt./Nov. 1997
Hans-Christian Dany: Kombination: Gerwald Rockenschaub/Galerie Vera Munro, in: De:Bug 14, 8/1998
Silke Müller: „Junge Kunst: Techno", in: Art 3/1999

Dank (Acknowledgement)

Besonderen Dank an die Leihgeber (Special thanks to the lenders)
Mehdi Chouakri, Berlin; Sammlung Essl, Privatstiftung, Klosterneuburg; EVN-Sammlung, Maria Enzersdorf; Sammlung Generali Foundation, Wien; Sammlung Geyer, Wien; Sammlung Goetz, München; Hauser & Wirth & Presenhuber, Zürich; Georg Kargl, Wien; Susanna Kulli, St.Gallen; Meyer Kainer, Wien; Massimo Minini, Brescia; Vera Munro, Hamburg; O.Ö. Landesmuseum, Linz; Dr. Ernst Ploil, Wien

Mein persönlicher Dank gilt (My personal thanks to)
Herbert Brandl, Mehdi Chouakri, Hans-Christian Dany, Joshua Decter, Xavier Douroux, Loys Egg, Peter Fend, Renate Kainer, Georg Kargl, Corinna Koch, Helga Krobath, Susanna Kulli, Paul Maenz, Michael Meinhart, Christian Meyer, Vera Munro, Markus Muntean, Eva Presenhuber, Alexander Rendi, Adi Rosenblum, Stephan Schmidt-Wulffen, Rosemarie Schwarzwälder, Daniela Stern, Herbert Tasquil, Calliope Travlos, Peter Weibel

Dieses Buch erscheint anläßlich der Ausstellung „funky minimal“
Kunstverein in Hamburg und Le Consortium, Dijon.
(This book is published on the occasion of the exhibition "funky minimal" in Kunstverein in Hamburg and Le Consortium, Dijon.)

Herausgeber *(Edited by)*
Kunstverein in Hamburg
Klosterwall 23, D-20095 Hamburg
Telefon *(phone)* +49 40 33 83 44, Fax *(fax)* +49 40 32 21 59
e-mail hamburg@kunstverein.de
Direktor *(director)* Stephan Schmidt-Wulffen
Organisation *(organisation)* Corinna Koch
Le Consortium – centre d'art contemporain
L'USine
37, rue de Longvic, F-21000 Dijon
Telefon *(phone)* +33 3 80 68 45 55, Fax *(fax)* +33 3 80 68 45 57
e-mail consortium@planetb.fr, http: www.leconsortium.com
Direktoren *(directors)* Xavier Douroux, Franck Gautherot, Eric Troncy
Mitarbeiter *(staff)* Irène Bony, Patricia Bobillier-Monnot, Stéphanie Jeanjean, Laure Temmerman, Yvan Monnard, Frédéric Pintus

Projektorganisation *(project organisation)* Daniela Stern
Lektorat *(editing)* Claudia Mazanek
Übersetzung *(translation)* Roger M. Buergel, Aileen Derieg, Trixi Kaiser-Gnan, Lisa Rosenblatt
Fotos *(photos)* A. Burger, Stephan Doleschal, Christian Fischer, Gerhard Jurkovic, Georg Kargl, Gerhard Koller, Mancia/Bodmer, Helge Mundt, Jens Preusse, Marlene Prohaska, Gerwald Rockenschaub, Franz Schachinger, Margherita Spiluttini, Tieze/Tilley, Wolfgang Woessner, Jens Ziehe
Graphik Design *(design)* Alexander Rendi
Druck *(printing)* Remaprint, Wien

Auflage 1600 Stück *(Edition of 1600)*
Printed in Austria 1999

Vertrieb *(distribution)* Verlag Buchhandlung Walter König
ISBN: 3-88375-369-6

Unterstützt von *(supported by)* Hauser & Wirth & Presenhuber, Zürich; Georg Kargl, Wien

Deutsche Bibliothek - CIP-Einheitsaufnahme

Funky minimal : [Gerwald Rockenschaub] / [Hrsg : Kunstverein in Hamburg ; Le Consortium, Dijon. Projektorganisation: Daniela Stern. Übers: Roger M. Buergel ...]. - Köln : König, 1999
ISBN 3-88375-369-6